n° 27 - septembre 2001
La poésie arabe contemporaine

Revue trimestrielle d'information et d'expression poétiques publiée par le cherche midi éditeur.
Direction : Marcel Jullian et Jean Orizet.

Marcel Jullian

Jean Orizet

Vitalité de la poésie arabophone

En choisissant de donner la parole dans cette livraison d'automne à une quarantaine de poètes arabes – hommes et femmes – d'aujourd'hui, nous avons le sentiment de faire œuvre utile en apportant notre pierre à une meilleure connaissance d'une culture « géopolitiquement » sensible en ce début de troisième millénaire. Dans cet esprit, l'auteur du dossier, poète irakien vivant en France, a tenu, en privilégiant toujours la qualité, à réunir un nombre significatif de poètes originaires de douze pays arabes différents, en incluant même un poète né en Israël. Si le Liban, l'Irak et l'Égypte se taillent la part du lion, la Syrie, le Maroc, la Tunisie, la Libye, la Palestine, la Jordanie, le sultanat d'Oman, le Koweït et Dubaï sont aussi représentés. Le plus âgé de ces poètes a 62 ans, le plus jeune, 30 ans. Nous voilà bien dans cette poésie arabe contemporaine qui a su intégrer à sa tradition millénaire une vision absolument moderne en adoptant des formes d'écriture – comme le poème en prose – qui le sont tout autant. Si l'on ajoute que depuis toujours, l'arabe est une langue consubstantielle à la poésie, on comprendra tout l'intérêt de ce numéro riche en découvertes.

M. J. - J. O.

sommaire

Collection « Documents »

MOI, VLADIMIR OULIANOF DIT LÉNINE
LE ROMAN DU BOLCHEVISME
ALEXANDRE DOROZYNSKI
272 pages, 110 F / 16,77 €

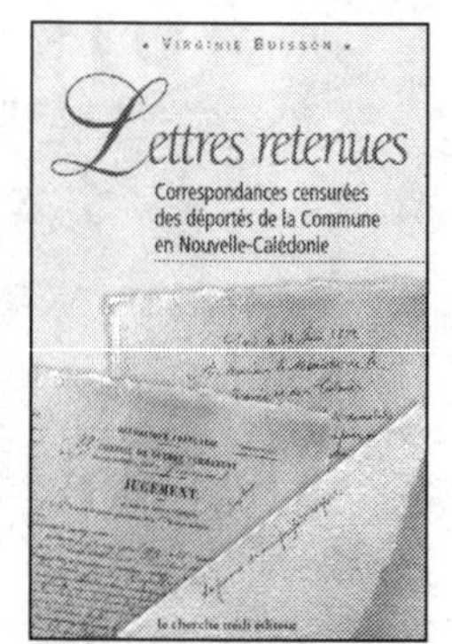

LETTRES RETENUES
CORRESPONDANCES CENSURÉES DES DÉPORTÉS DE LA COMMUNE EN NOUVELLE-CALÉDONIE
VIRGINIE BUISSON
180 pages + cahier photos, 98 F / 14,94 €

LES SEINS
ENCYCLOPÉDIE HISTORIQUE ET BIZARRE DES GORGES, MAMELLES, POITRINES, PIS ET AUTRES TÉTONS
MARTIN MONESTIER
352 pages (190 × 280),
plus de 300 illustrations,
198 F / 30,18 €

le cherche midi éditeur

dossier

La poésie arabe contemporaine
par Abdul Kader El Janabi

Liminaire
de Bernard Mazo

Introduction
de Abdul Kader El Janabi

Exergue
de Ounsi El Hage

Mohamed Farid Abu Saada
Farag Al-Arbi
Fadhil Al-Azzawi
Akl Awit
Mohammed Benis
Abbas Beydoun
Chawki Bazih
Sargon Boulus
Paul Chaoul
Saleh Diab

Salah Faiq
Safaa Fathy
Mohammed Ghozzi
Iskander Habach
Nada El Hage
Bassam Hajjar
Rula Hassan
Adam Hatam
Abdul Kader El Janabi
Kadhim Jihad
Amal Al Jubouri
Walid El Khachab
Hussain Kahouaji
Ibrahim al Khaledi
Dhabia Khamees
Adel Mahmoud
Issa Makhlouf
Bassam Mansour
Salman Masalha
Zakeria Mohammed
Adnan Mohsen
Hassan Najmi
Amjad Nasser
Fatma Qandil
Saif Al Rahbi
Abdelmoniem Ramadan
Mouayed Al-Rawi
Mohammed Faqih Saleh
Helmy Salem
Ahmed El Shahawi
Samuel Shimon
Abdo Wazen

Liminaire

La poésie arabe contemporaine est dominée, du moins à nos yeux d'Occidentaux, par deux figures poétiques emblématiques, celles d'Adonis et de Mahmoud Darwich, le chantre de la cause palestinienne. L'un et l'autre, servis par des traducteurs inspirés, ont fait entendre, partout dans le monde et singulièrement en France, des voix qui, si elles sont l'expression forte et moderne d'une poésie multimillénaire, ont eu pour plus grand mérite de transcender les nationalismes étroits, les frontières étatiques, d'accéder à un universalisme qui témoigne que la poésie demeure la plus formidable et la plus vivante des passerelles transculturelles – si enracinée soit-elle dans son territoire natal.

Le revers de la médaille d'une telle célébrité, c'est que la stature de ces deux poètes laisse quelque peu dans l'ombre – du moins pour nous Occidentaux – nombre de voix poétiques arabes d'aujourd'hui qui témoignent de l'extraordinaire vitalité et du profond renouvellement de la poésie arabophone, en premier lieu de l'immense Ounsi El Hage, né en 1937, qui a contribué plus que quiconque au renouvellement de la poésie arabe avec *Shi'r* (1957-1970) et à la connaissance dans les pays arabes du surréalisme – un poète qui mérite sûrement un dossier à part –, puis celle de Paul Chaoul qui dirige la page culturelle du quotidien libanais *Al-Mustaqbal* – il y traduit régulièrement des textes de poètes français, car ce grand écrivain de langue arabe est, en tant que francophone et francophile, un admirable passeur de la poésie française d'aujourd'hui à laquelle il a consacré, dans les années 80, une grande anthologie plusieurs fois rééditée. Outre ses essais sur le phénomène poétique, il a publié à ce jour six recueils de poèmes élaborant une œuvre poétique au ton lapidaire, à la scansion lyrique, aux accents déchirants, hanté qu'il est par la mort et le néant.

Tout le mérite de la sélection proposée ici par Abdul Kader El Janabi est de nous faire découvrir ces voix poétiques nouvelles et fortes. Poète, essayiste, traducteur – il a traduit en arabe Paul Celan, Benjamin Péret, Joyce Mansour –, El Janabi, né à Bagdad en 1944, par sa connaissance à nulle autre pareille de la poésie du monde arabe et de la littérature occidentale – singulièrement le mouvement surréaliste – le fait qu'il vive en France – il a la double nationalité – depuis de nombreuses années, tout conduisait à lui confier l'élaboration de ce sommaire. AKEJ a publié plusieurs recueils de poèmes, différents essais critiques. Il est l'auteur d'un récit autobiographique, *Horizon vertical*, retraçant son parcours multiculturel, paru en 1998 chez Actes Sud et d'une grande anthologie, *Le Poème arabe moderne* en français avec une présentation de Bernard Noël (Éditions Maisonneuve & Larose, 1999). Il est aussi rédacteur en chef de la nouvelle revue *Arapoética* publiée en français à Paris.

B.M.

DANS LE GIVRE LE MANTEAU EST UN MOT

Écris ta visite sur les saisons. Écris sur le pain et le vin ton baiser. Écris sur la surprise.
Écris.
Écris sur le feu et le laurier, ton désir, ton spectre, tes rêves.
Tu retourneras demain à ton maître.
À la joie de ton maître ?
À ton maître.
À la colère de ton maître ?
À ton maître !
À la merci de ton maître ?
À ton maître !...
Écris.
Écris ton illusion, ton passage sur les références et les fenêtres.
Tu n'es pas le printemps qui vient chaque printemps. Entre et écris. Écris les vocables de la mer et de la terre. Écris l'enthousiasme et la fatigue. La perdrix et la pierre. La douceur et la force. Écris l'acteur et le martyr. Le lit et la conscience.
Livre-toi à ta main, laisse ta main se répandre sur les sources.
Tu meurs ô homme.
Écris !
Écris !
Écris !
Ton mécontentement de la neige, ta colère du cuivre, ton affection du soleil. Écris ton amour dans tous les yeux.
Que l'allumette soit un mot dans l'ombre, le manteau un mot dans le givre, la brise un mot dans la chaleur, et un mot l'éloignement et la rencontre, la bouche et le fleuve.
Que les hommes après toi dorment avec le mot.
Que les femmes après toi dorment avec le mot.
Et que le mot soit toi après toi.

Ounsi El Hage
(Liban)

cahiers trimestriels

mars 2001 - n° 12

Paul Nizon

Inédits

Hubert Nyssen, Philippe Dervière, Doris Krockauer

Espace méditerranéen

Jeunes poètes albanais

Olympia Alberti, Rodica Draghincescu

Partage des voix

Claude Mourthé, Jean-Pierre Siméon

Alain Freixe, Max Alhau

Marcel Migozzi, Léo Libert, Béatrice Libert

Voix d'ailleurs

Alexandre Karvovski, Henri Abril

Tribune libre

Jean-François Mattei

Mémoire

Christian Gabrielle Guez-Ricord

Chroniques et notes

Déjà parus et disponibles :

N° 1 : André Suarès
N° 2 : Adonis
N° 3 : Georges-Emmanuel Clancier
N° 4 : Hélène Dorion
N° 5 : Frédéric Jacques Temple
N° 6 : Jean Orizet
N° 7 : Claude Ollier
N° 8 : Pierre-Alain Tâche
N° 9 : Marie-Claire Bancquart
N° 10 : Pierre Dhainaut
N° 11 : Jean Joubert

Abonnement
pour quatre numéros

France	:	250 F
Etranger	:	300 F

Après *Les Cahiers du Sud*...
Après la *Revue Sud*...
Autre Sud perpétue la tradition des grandes revues littéraires et poétiques depuis Marseille et la Méditerranée.

Autre Sud
publication des Editions Autres Temps
97, avenue de la Gouffonne
13009 Marseille - France
Téléphone : (33-4) 91 26 80 33
Télécopie : (33-4) 91 41 11 01

Introduction
Les neiges du désert

Dans les pays arabes, la langue produit autant de poètes que la terre du pétrole. Chaque enfant apprend dès son plus jeune âge une langue qui puise aux sources de la poésie. Cette pratique est si familière chez eux que l'on peut dire que les Arabes dans leur majorité sont soit des poètes ratés, soit des poètes qui s'ignorent. Entre ces deux extrêmes, fort heureusement, il en est beaucoup qui ont choisi avec bonheur le chemin du poème. Si l'anthologiste de la poésie arabe dispose de matière, il risque cependant d'être très vite débordé par le volume. Il doit donc impérativement faire des choix et, de ce fait, être fatalement injuste avec les uns ou les autres. Car élaborer un choix de la poésie arabe moderne ne peut nullement se réduire à une simple compilation. Pour qu'une sélection soit cohérente il faut élire et suivre sans dévier un fil conducteur. Ici, l'évidence même était de rendre manifeste l'effort réalisé pour s'arracher aux formes anciennes, celles d'une culture classique puissante, et dévoiler ainsi, loin de toute représentation exotique, la variété des expériences modernes de poètes arabes d'aujourd'hui, représentées par les générations « post-*Shi'r* ».

Sans doute faut-il, pour éclairer le propos, donner un bref aperçu historique de l'innovation poétique qu'ont connue les pays arabes et qui a marqué durablement la poésie de cette région, je veux parler du mouvement *al-Shi'r al-Hurr* (la poésie libre) survenu à la fin des années quarante et de la véritable révolution apportée par la revue *Shi'r* de Youssef El Khal qui a suivi.

Lorsque les Irakiens Badr Chakir As-Sayyâb, Nazik al-Malâïka et Abdelwahab al-Bayyâti, à la fin des années quarante, rompirent avec la tradition classique en abandonnant la rime unique et la division des vers en deux, ils inventèrent ce que l'on appelle en arabe *al-Shi'r al-Hurr,* la « poésie libre » [1] : la suppression des deux hémistiches remplaçait le nombre fixe de pieds pour chaque vers par un nombre variable de pieds et ouvrait la porte aux grandes mutations.

Bientôt, la situation politique, la perte de la Palestine, le renouveau des luttes d'indépendance nationale, appelèrent au changement social, politique et culturel. Le terrain pour tous types de questionnements était prêt. Avec la revue *Shi'r,* l'émancipation poétique prit tout son sens, l'expérience des pionniers de *la poésie libre* se trouva considérablement amplifiée, de sorte que la rénovation dut s'accompagner de formes poétiques nouvelles grâce à des contenus neufs. À vrai dire, la

poésie, avec la revue *Shi'r*, grâce à la volonté radicale d'Adonis, d'Ounsi El Hage, de Mohamed Al Maghout et surtout de Youssef El Khal, se glissa hors de l'instance idéologique inhérente au projet de *la poésie libre* et rencontra l'Autre (l'Occident) qui lui montra les mouvements multiples de la modernité et l'induisit à remettre en question ses propres origines. Les traductions faites par cette revue de l'œuvre poétique occidentale jouèrent un grand rôle dans l'élaboration du poème arabe moderne [2].

Malgré sa disparition en 1970, la revue *Shi'r* influença en profondeur les jeunes générations car le projet réel de cette revue consistait à dynamiter de l'intérieur la langue arabe, introduisant pour cela des formes nouvelles et puisant chez l'Autre des matériaux propres à faire évoluer les traditions linguistiques.

---

1. Abdul Kader El Janabi, *Le Poème arabe moderne*, Paris, Maisonneuve & Larose, 1999.
2. *Cf. Arapoetica. De la poésie internationale,* 2001, n° 2, pp. 123-132.

À partir des années soixante-dix, une nouvelle génération interrogeant l'histoire récente, les politiques de résistance, le rôle des partis, fut disposée à poursuivre l'aventure, à ouvrir grand les portes à la révolte et à l'expérimentation, et à convertir une langue imprégnée de codes patriarcaux en un langage à la puissance germinative lisible par tous. Le Liban joua un rôle important dans cette rénovation. En devenant la terre de tous les exilés, le Beyrouth des années 1970 se transforma en laboratoire d'expérimentation poétique et politique. Mais avec la première guerre du Golfe, après la montée des dictatures, après l'invasion israélienne du Liban, une nouvelle période s'ouvrit avec des perspectives différentes. Les poètes assistèrent alors à la fragmentation du verbe dans une vie mutilée. Ils ambitionnèrent alors de jouer leur pensée et leur vie hors de tout diktat esthétique ou moral.

Cette anthologie est justement consacrée à ces générations post-*Shi'r* qui *veulent* exprimer leurs sentiments contre une réalité qui les opprime. Dans cette quête de vérité profonde, les poètes de ces générations, comme le soulignait fort justement un critique égyptien, posent « au milieu des solennités du verbe poétique traditionnel la chaleur troublante et la présence charnelle du langage parlé, vécu, actuel et imparfait ».

Les pièces réunies ici sont représentatives du poème arabe moderne, depuis trente ans. Toutes témoignent de la laïcisation de la langue, devenue sous les plumes le véhicule des sentiments profanes. Pour les poètes de ces générations, ouvrir la langue à de nouvelles formes syntaxiques, être moderne, devient un lien, bien plus fort que le sang, l'héritage, les traditions ou l'identité.

Avec les générations post-*Shi'r*, le poème arabe moderne perçoit l'image, non plus comme un instrument discursif ou ornemental, mais comme la force vive de son langage. Aventuriers du verbe, les poètes arabes d'aujourd'hui entraînent la poésie dans les bas-fonds de la langue courante où l'auréole de la rhétorique « glisse dans la fange du macadam », afin qu'elle transgresse les codes anciens tapis au creux de la grammaire. Libérer la poésie de toute cause idéologique et en faire un acte langagier qui *n'a pas la Vérité pour objet*, [qui] *n'a qu'Elle-même*, comme disait Baudelaire, voilà bien le combat démesuré de tous ces poètes. Le rôle de la poésie féminine est en ce sens exemplaire [3]. Pour les poétesses d'aujourd'hui, écrire un poème non versifié est devenu le moyen le plus efficace pour combattre la léthargie de l'intégrisme qui les menace ; une léthargie cachée au sein de la syntaxe. Le poème arabe contemporain est un contre-poison. Là est sans nul doute sa vertu principale, son pouvoir subversif propre à fonder un nouvel idéal !

Abdul Kader El Janabi

N. B. Sauf mention contraire, tous les poèmes sont traduits par Abdul Kader El Janabi et revus par Charles Illouz et Mona Huerta.

3. *Cf.* Abdul Kader El Janabi, *Le Verbe dévoilé. Petite anthologie de la poésie arabe au féminin*, Paris-Méditerranée, 2001.

Mohamed Farid Abu Saada

(Né en Égypte en 1951. Il a publié une dizaine de recueils poétiques et de pièces de théâtre.)

1.

Tous sont sortis et le voilà seul.
Il feuillette quelques livres puis les écarte,
Se dévêt, se promène nu dans l'appartement
Aussi léger qu'un fin duvet volant dans la lumière
Ah le sentiment de se rouler ainsi sur les dalles humides
Et de s'approcher de la fenêtre
Pour surprendre les curieux
Comme le fit la foudre de l'intrigante !
Il décroche le téléphone
Et se met à composer les numéros de ses anciennes amours
Contrarié de ne trouver personne au bout du fil
Il numérote dans le désordre
Afin de tomber sur une autre voix avec laquelle il pourrait
Entamer une nouvelle relation et se présenter
Sous un meilleur jour.

2.

Des années après sa mort
Elle tomba sur des photos et des lettres d'amour.
Elle s'assit de stupeur et décida de le punir.
Oui, lorsqu'il viendrait la nuit,
Tard comme à son habitude
Elle ne lui jetterait pas les clés
Resterait sourde à ses appels
Et ne bougerait pas de son lit
Elle le laisserait seul,
Aussi malheureux qu'elle l'était en ce moment.

3.

Les journaux se sont entassés devant la porte
Et lorsqu'il rentre la nuit ou sort le matin
Il enjambe les paquets gisant comme des cadavres
En prenant soin de ne pas les piétiner.

Il se souvient ce matin
À l'heure du café
Lorsqu'il a ouvert la porte pour prendre le journal
Comment celui-ci a souillé sa chemise de sang
Et a laissé échapper des cadavres tout frais qui le dévisagent.

4.

Je n'arrive pas à comprendre
Pourquoi les automobiles agressent ma chère ombre
Qui cependant porte toutes mes bonnes actions
Ni pourquoi elle est obligée de s'éveiller brusquement
Chaque fois qu'elle passe près d'un mur.

Ses vagabondages, son étrange modestie
Et son amour des coins oubliés me navrent.
Oh si je pouvais la plier comme un dossier,
Je l'emporterais partout sous mon bras.
Des nouvelles me viennent :
On l'a vue dans divers lieux où je n'ai jamais mis les pieds
Et on a dit qu'elle s'est livrée à des actions étonnantes !
La nuit je sais où elle est
Je lui dis alors ce qu'elle doit faire ou non
Mais au matin elle s'entête de nouveau
Et s'étale se moquant de toutes mes tentatives
Pour la rendre aussi respectable et inutile que moi.

Farag Al-Arbi

(Né à Al-Jabal al-Akhdar, Libye en 1961. Membre de l'Union des écrivains libyens, il a publié deux recueils de poèmes et un essai sur le poète irakien Abdel Wahab Al Bayyati.)

L'AZUR

Sur le rivage
Tu querelles la tromperie et la froide solitude
Ton splendide corps fusionne avec le sel de la mer
L'eau devient douce
Je te contemple :
Tu prends la forme de l'azur
Qui s'est mélangé à mes regards
Mes regards qui occupent
Tout l'horizon de tes yeux.

UNE MAIN DANS L'OMBRE

De grands cris tachent les murs
Des rires sont jetés dans des chambres inconnues
Des voix murmurent publiquement
Un sanglot ensemence une femme
Un bruit coule son désordre.
Dans le couloir, la voix timide des pas
Ils courent l'un derrière l'autre

Et aucun d'entre eux
Ne sait où il va.

LA NUIT EST POUR TOI

Cette nuit le monde vint à toi
Pour te faire reine
Tu reçus les bergers qui pour toi avaient traversé les ravins
Cette nuit arrachée
À la somnolence voulut devenir souveraine de l'absence
Cette absence jalouse
Suivant tes traces
Avais-je dit quelque chose d'utile ?
Oui, cette nuit était pour toi.

UNE VIEILLE FEMME TRISTE

Au matin
Du boudoir d'une femme
La nuit s'esquive effrayée
Et saute par la fenêtre
Au matin
Devant la maison
Une plante grimpe sur une vieille femme triste
Qui fixe l'âge au lointain.

LA PORTE DE LA MAISON

Chaque jour
On ouvre et ferme la porte de la maison
Sans même réfléchir à l'emporter un jour
Lors d'une visite ou d'une promenade
Sans même réfléchir à la libérer de nos propres mains.

Fadhil Al-Azzawi

(Né en 1940 à Kirkuk, Irak. Poète, journaliste et romancier, son œuvre compte des romans, des essais et une douzaine de recueils de poésie.)

EXPLOSIONS

Cette nuit comme chaque nuit
George Wetheril s'assoit derrière son télescope.
Il observe les étoiles qui s'entrechoquent
Puis s'abandonnent en poussière
Dans le labyrinthe des galaxies.

Cette nuit comme chaque nuit
Naît une nouvelle planète
Elle aussi se peuplera un jour
Elle aura des cavernes comme celle des Sept-Dormants
Et des singes sur les arbres pour lancer des noix de cocos
Et des villes comme New York, Londres et Paris
Que les touristes envahissent en été
De temps en temps une guerre se déclenchera
Les mariés dormiront dans les mêmes lits
Au-dessus de leurs têtes, sur les murs, les photos
De leurs fils absents.

Dans cent mille ans...
Dans quatre millions d'années...
Dans deux cents millions d'années...

Laisse ton télescope cher George Wetheril
Observer ce qu'il veut
Quelqu'un t'attend dans le salon
Il dit être Dieu
Et vient te lire ce poème.

INTERSECTIONS

... le navire qui n'a jamais accosté
... la maison qui n'a jamais été bâtie
... le chemin qui n'a jamais été parcouru
... la lettre qui n'est jamais arrivée
... le puits qui n'a jamais été creusé
... l'arbre qui n'a jamais été planté
... la cigarette qui n'a jamais été fumée
... le café qui n'a jamais été bu
... la mort qui n'est jamais venue
... et la vie qui n'a jamais commencé.

Sur chaque navire, un passager clandestin
Dans chaque maison, des souvenirs perdus
Sur chaque chemin, une caravane de retour
Sur chaque missive, une phrase oubliée
Dans chaque puits, un Joseph qui pleure
Sur chaque arbre, une pomme interdite
Dans chaque cigarette, un Indien peau rouge
Dans chaque café, une amertume
Dans chaque mort, un ange éméché
Dans chaque vie, des croque-morts qui attendent.

Là-bas, au poste frontière
Un douanier te reconnaît
Tends-lui la main ou souris
Et tu traverseras en toute tranquillité.

DES TRACES SUR LE SABLE

Un monstre primitif est passé par ici
Les nomades ont laissé des traces païennes
Sur l'escalier de pierre d'un puits asséché.

Du sang sur le sable,
Des cris étouffés
Et dans un point d'eau,
Des guerriers lavent leurs épées
Après la bataille.

Tant de caravanes sont passées par ici
Sans même que l'on entende le bruit
Des chevaux sur les routes.

La proie pâture
Le couteau est dans sa gaine
Laisse la proie brouter l'herbe
Et le couteau dans son fourreau !

Si tu étais renard, alors tu fuirais dans la forêt
Si tu étais captive
Alors je briserais tes chaînes.

J'ai longtemps parcouru ce chemin.
Et toujours nous étions ici...

Akl Awit

(Né en 1952 à Beyrouth. Traducteur de Malcolm de Chazal, il compte à son actif plusieurs recueils poétiques. Il dirige le supplément culturel du quotidien libanais An-Nahar.*)*

UN JOUR

Peu nombreuses sont les idées que l'on préserve,
Car seules les choses qui n'ont jamais eu lieu, nous reviennent
Cependant on les évoque comme si elles devaient survenir demain.
Alors le mot élit ses maîtresses et jette sur elles des regards ardents,
Et le poème devient souvenir de toutes sortes d'affections...
Peut-être un jour le poème aura-t-il lieu.
Pour lui, on habite des maisons éclairées de ses idées aveugles.

LES CHOSES

La nuit, dès qu'on ne les voit plus, les choses deviennent des idées impénétrables, on conçoit leur forme sans pouvoir les saisir.
La nuit nos rêves s'envolent de nous, ainsi les choses saisissent-elles l'occasion du sommeil pour se grandir en notre absence.

RAPPORT

Nous sommes jaloux de nos mains lorsqu'elles écrivent,
Jaloux de nos mains,
Car elles trahissent nos désirs.

Mohammed Benis

(Né à Fès, Maroc, en 1948. Il a publié une dizaine de recueils de poèmes, dont Le Don du vide, *traduit en français en collaboration avec Bernard Noël.)*

FRÈRE DE LA SOLITUDE ET L'INTÉRIORITÉ LUI A VOLÉ LES MAINS

1.

La nuit n'a pas attaqué
mais l'horizon est fait de montagnes difficiles
qui s'affrontent dans un passage invisible

Comme si le pas était à son commencement
Il examine les herbes
Le thym
L'armoise la rue la cannelle

Senteurs sur leurs allées les mots s'effondrent

2.

Il se précipite vers une barque
Et sait que les partants ne sont pas encore revenus

Peut-être a-t-il entendu la voix de la flûte
Dans une dépression de terrain
Semblable aux obscurités

3.

Posant ses mains sur la région cachée
silencieux il descend
vers un lieu ambigu

Qu'a vu cet enfant
en montrant du doigt un amandier ?

Le souvenir d'une blancheur souffle sur les pieds des montagnes

4.

Un appel contradictoire par les qualités
Des lignes dans la distance bleue
Un enfant dessinait une position
inverse à celle de la pierre

Ses yeux brillent
et dans ses nerfs les pas d'un ami
qu'il ne nomme jamais

5.

Lorsque le goéland est descendu sur la plage d'en face
il n'y avait pas de quoi avoir peur
Herbes bleues
ou blanches
Elles ne sont guère le signe d'un quelconque départ
Toutes les couleurs se sont déposées au fond de la feuille

6.

Souvent j'ai appelé les partants vers un temps bleu
À leurs fenêtres j'ai accroché des lanternes
Il est difficile d'en briser les verres
Et chaque fois je voyais une personne
derrière les vitraux du silence
parler à l'eau

7.

La géographie de l'inconnu l'intéresse plus qu'il ne faut
Il sait que cet espace est celui vers lequel il se dirige
en
partant vers l'oubli
Et dans la découverte des mots
un frisson touche le corps
Larmes

8.

Que reste-t-il de toi après le départ ?
Il interrogeait une personne qui ne revenait pas
Avec insistance il interrogeait

Là-bas
Dans une fosse de silence il creuse encore
et l'odeur de l'incendie ne quitte pas le larynx

9.

Une soif continue
L'air est un mélange d'histoires déchirées
et les chemins sont des douleurs
que les cahiers de la métaphore ne peuvent contenir

10.

En automne il laisse ses mains rire
sur une terrasse avec sa chaux blanche

Un nuage
revient sur les langues
Et les grappes de raisin sont préparées pour les arrivants du souvenir
Il se peut qu'ils regardent la pureté du soleil
dans des formes qui se croisent
dans des compositions que le sens n'atteint pas

11.

Le turban boit le vent
Des éclairs arpentent les murs montant
vers une éternité
que nous appelons la langue

Il ne lui était pas dit de se fatiguer le regard
Une pensée s'emparait de lui
Chaque fois que ses yeux faiblissaient
sur la terre
il y avait une trace qui voilait la terrasse

12.

L'eau est dans l'autre bout du sommeil
et les remparts anciens
courent dans une mémoire détruite

Il a laissé les citadelles se jouer des livres dont la mélancolie
lui était inhabituelle

Ici
Il voulait chercher des mots anciens
Par lesquels il découvre l'inconnu
Idée
Après idée
Il traverse ce qui n'est pas une voix
Une simple couleur se diffusant sur la forme d'un désert

(Traduit par l'auteur et révisé avec Mostafa Nissabouri)

Abbas Beydoun

(Né à Sour, Liban, en 1945. Poète, journaliste, traducteur, il a publié neuf recueils poétiques. Il dirige la page culturelle du quotidien Assafir.*)*

UN HOMME LIBRE DE TOUT FARDEAU

J'entre dans la vie d'un homme comme dans une rue. J'examine ses façades et ses caniveaux. Et puis, comme ces pères qui toujours de loin me surveillent sans se précipiter pour accélérer ma naissance, je la laisse derrière moi, longue et obscure

Les trois sommets disparaissent derrière moi, c'est pourquoi je rencontre à chaque coin de rue des gens que je ne cherche pas à reconnaître, et lorsque je sens qu'un oiseau s'est pris à traverser ici, j'en saisis la rareté dans ces parages vides de vent

Quoi qu'il en soit, ils sont tous morts mais susceptibles de ressusciter pour moi. Moi qui me suis seulement engagé à survivre. Je ramasse des souvenirs et des rêves et les sème avec ma peur dans la terre froide que j'habite

Je vis par les sources enfouies et autour des eaux jaunissantes depuis ma naissance. Depuis que ma vie a disparu en ce lieu je poursuis les signes des chasseurs. Je rencontre des étrangers et me déplace dans la pénombre qui suit leur vie

Je ne fais pas cela par tricherie. Mais par la trahison d'un seul homme, cesseront-ils alors de courir dans la peur qui suit leur vie. Peut-être les portes de la mer intérieure bougeront-elles pour qu'un homme ayant à peine vécu parvienne libre de tout fardeau à naître parmi eux

---

CEUX-LÀ

Je m'assois entouré
Par ceux-là
Qui m'ont fait
Solitaire.

DESSIN

Les bateaux sont esquissés sur l'eau.
Méfiante, l'eau ne bouge pas.

DE L'ESPOIR

Une chaise solitaire pour un patient, l'espoir.

NUAGE

Ô nuage, depuis quand n'es-tu plus semblable au poème, depuis quand es-tu dans une boîte, mort entre des allumettes ? Il y a ce qui ne peut sortir de la maison. Il y a ce qui ne peut s'arracher des yeux.

Chawki Bazih

(Né en 1950 au Liban. Poète et critique littéraire. Il a à son actif une dizaine de recueils poétiques.)

LE PREMIER JANVIER

Aujourd'hui
La terre s'est arrêtée de tourner
Et les fleuves ne coulent plus
Une somnolence totale
S'abat sur les survivants et les naufragés
Sur les pauvres et les hommes de loi
Même les vagues commencent à voler une larme derrière le dos de la mer
Pour pleurer ses brisants sur les bois du malheur

Il suffit d'une main pour troubler les horloges
Ou d'un vent anarchique pour donner un coup de pied au ciel

L'astronome n'a pas fini de scruter
Les ramures du capricorne
Quand le soleil se satisfaisant de contempler l'année passée
Abandonne sa crête au devoir des astrologues
Et restitue sa lumière paralysée au nouvel an.

Au cœur des montagnes
Il n'y a aucune raison que les nuages inventent un prétexte pour dormir
Les capitaux pour vieillir
Les vagabonds pour bâtir des maisons de repos pour leur solitude
Les amants pour créer des sépulcres à leur désespoir
Les poètes pour ériger des gratte-ciel
Au-dessus de l'écriture.

La famille ne se soucie plus de la trahison ou de la fidélité
Car il y aura assez de place pour que les doutes envahissent
D'autres boudoirs
Loin de la manœuvre déloyale des hommes
Et des pièges des femmes
Car un pur désir d'absence
Émerge de ce sommeil.
Simple prétention
Est cette neige fendue
Aux cimes de l'âme
Quand les morts seuls contrôlent la terre
Qui sonde sa silhouette fine
Et se précipite dans les déchets de l'espérance.

LES PHOTOS

(extrait)

1.

Un homme et une femme
S'assirent souriants à une table
Puis se tournèrent pour se rapprocher
De la lumière
Plus étrangers encore
Une, deux, le photographe compta puis
Se souvint que la scène souffrait d'une lacune :
Deux yeux ouverts et un bouquet de fleurs !
Mais lorsqu'il approcha son œil de la caméra
Prêt à compter de nouveau
Il ne vit personne
Et ne trouva sur place
Que deux points de larmes
Enlacés à jamais
Derrière eux deux fosses de couleur corps.

2.

Les gens se précipitent vers le photographe
Au moment du danger
Les gens se précipitent vers le photographe
Pour qu'il les protège de la mort,
Pour qu'il les soigne des pustules du Temps
Et de ses saccades à venir
Et lorsque la lumière les éblouit
Ils deviennent leurs propres statues
Remplissant le vide qui a occupé leurs tailles
Avant qu'ils n'existent
Avant qu'ils ne deviennent humains
Les gens se précipitent vers le photographe pour renaître
Ils s'éloignent dans un frisson évanescent
Et les photos restent.

Sargon Boulus

(Né à Habbaniyah, Irak, en 1942. Poète, nouvelliste et journaliste, il a publié cinq recueils de poèmes.)

LE VISAGE

Ce visage
Que tu as croisé sur le pont
Au-dessus du cimetière blanc de Montmartre
Et de tous ses défunts couverts de neige,
Ce visage d'une femme en pleurs
Mordillant ses mains
Ignorant où elle marche
Ne prêtant l'attention ni au vent
Qui lève ses jupes
Ni aux passants ou aux voitures,
Ce visage à cet instant précis
T'a captivé de telle manière
Que tu ne manques pas de le voir
Chaque fois que tu traverses un pont.

LE TÉMOIN

Peut-être demain danseras-tu dans les ruines
De ce que tu bâtis aujourd'hui
Si d'aventure tu cherchais un témoin
Regarde le miroir.

NI MAISON NI JARDIN

Il n’y avait ni rue, ni maison, ni jardin
Lorsque je découvris que tous les fleuves étaient loin.

TISON ARDENT (CARBURANT)

Cette nuit je fixe les yeux sur le visage de la flamme
Comme si je cherchais des traces de ma vie dans la cendre.

GRAPHIQUES

Tu mourras et vivras

La lumière coule de la porte de la nécessité

La besogne comme le taureau dans le moulin toute la journée

Et lorsque le soir tombe tu sors pour chasser l’ange
Qui s’est égaré
Dans les méandres des habitations.

LA PORTE DE LA MAISON

Le poète est-il enfin payé du droit de passer la porte de sa maison
D’avoir une clé et un lit ?...

ÉLÉGIE DE LA MAISON

Avant de quitter la maison
J'écoutais
Son corps endormi près de moi,
Fleuve abreuvant sa vallée familière,
Et percevais un sanglot...
Des ailes furtives planant au-dessus de ma tête
Le chant d'une femme de mon pays
Éveillée près d'une rive
Et pleurant sur la trahison du Temps
Depuis je vais vers mes batailles et mes jours
Oubliant mes paroles
Buvant une eau qui ne me désaltère pas davantage
Qu'elle ne me lave ni ne me lavera jamais.

Paul Chaoul

(Né à Beyrouth en 1942. Poète et traducteur, il a publié plusieurs recueils de poèmes et une anthologie de poésie française. Il dirige aujourd'hui la page culturelle du quotidien Al Mustaqbal.*)*

LA VIEILLE PLUIE

II

– Tu étais très proche cette nuit-là.
– Mon corps était à sa place.
– Tu étais très proche cette nuit-là.
– La mémoire était très loin.
– Et l'oubli ?
– Ta pureté cette nuit-là m'avait conduit à t'oublier.
– Vraiment ?
– Ton silence cette nuit-là t'avait rappelée à mon souvenir.
– Vraiment ?
– Ton corps était déplacé cette nuit-là.
– Loin ?
– Tes papiers sur moi étaient éparpillés.
– Étais-tu près de moi ?
– Je respirais dans d'autres pièces.
– Et t'éloignais-tu alors ?
– Je ne savais pas à quel point la mémoire retardait.
– Mais tu me regardais comme une eau fluviale.
– C'est alors que je compris que le monde n'avait nul besoin.
– Tu ouvris de nombreuses fenêtres et ne t'endormis point.
– Alors je compris que le monde était pur.
– Puis tu inventorias les livres placés devant toi.
– Alors je compris que le monde pur n'a nul besoin.
– Tu ouvris ensuite les coffres et sortis tes vieux atours.
– Je compris alors que le monde n'a besoin de personne pour le sauver.
– Est-il si pur ?
– Les morts s'allongent sur lui et jamais ne s'épuisent.
– À maintes reprises tu frappas à la porte mais n'ouvris point.

–Mon corps était à sa place.
–Étais-tu proche cette nuit-là ?
–La mémoire était très loin.
–Et l'oubli ?
–La pureté du monde cette nuit-là me le fit oublier.
–Et toi ?
–La pureté du monde cette nuit-là veilla jusqu'au matin.

III

–Tu étais transparent cette nuit-là.
–Je tombai plusieurs fois avant de t'atteindre.
–Pourtant tu m'interpellas de plusieurs noms.
–Je ne vis rien de semblable au regret cette nuit-là.
–À plusieurs reprises tu m'évaluas avant de m'étreindre.
–Personne ne ferma la fenêtre derrière moi.
–Mais tu disais que les morts sont peu assidus dans leurs visites.
–La pilosité de ton corps en moi évoqua de nombreux jours.
–Puis soudain tu te rappelas un frêle cyprès.
–Lorsque je respirais ta chevelure, une herbe riche exhalait dans mon corps.
–Alors tu fermas les yeux à plusieurs reprises.
–Tu respiras en moi comme celui qui brusquement découvre un ancien crime.
–Puis comme un miroir tu soulevas mon visage mais tu ne regardas pas.
–Tu te répandis en moi comme celui qui dans ses mains brise un calice.
–Tu parlas amplement de la rue, du trottoir, du café, et soudain de la mort.
–Dans ma chambre, personne ne m'attendait.
–Puis tu parlas des réverbères, des roses et des arbres.
–Les visiteurs frappèrent à la porte mais n'entrèrent point.
–Tu parlas ensuite de ta main, de ta chemise, de tes chaussures.
–Le miroir fut patient cette nuit-là. Patient comme un miroir.
–Puis soudain tu ne sus plus.
–Tu étais devant moi comme une nuit antérieure.
–En refoulant tes larmes, tu m'embrassas.
–Personne ne ferma les portes derrière nous.

Saleh Diab

(Né en Alep, Syrie en 1967. Poète et critique littéraire, il a publié un recueil de poèmes.)

ICÔNE

Je pense
à une tour
sous une nuit
battante,
à une rivière
démunie de ses cailloux,
qui ne rassemble plus
un cours d'eau
à un arbre.
Je pense à mon regret qui veille
face à l'icône de ton absence.

COIN

Je fume
pour que l'abandon s'étourdisse
tandis que le silence saigne
sous
mon regard
tel un pouce coupé.

Il y a la poignée
qui arrondit le temps
et la porte aussi
ce grand livre des absences
aveugles.

(Traduits par Abed Azrié)

Salah Faiq

(Né à Karkuk, Irak, en 1945. Poète et journaliste, il a publié plusieurs recueils de poèmes. On ne connaît rien de lui depuis une dizaine d'années.)

UNE FOIS LA LUNE S'ARRÊTA

Pour Ounsi El Hage

La femme endormie dans la mémoire de Sade
Est plus qu'une interrogation
Dans mon esprit
Il y a ce bateau plein de livres
Qui se précipite vers l'abîme
Dans mon esprit
Il y a des chevaux qui reniflent les tables des casinos
Il y a quelqu'un qui lit un poème
Qui n'a jamais été traduit jusqu'ici
De sa bouche enduite de soleil couchant
J'entends les chants des jeunes gens
Qui brûlent leurs vêtements de travail.
Chaque forme est une pyramide
Mais la pyramide est une forme différente
La lune qui s'est arrêtée derrière elle
Se leva dans le ciel et brilla sur vingt mots
Chaque printemps épuisera l'eau
Laissant à la forêt ses oiseaux
Laissant auprès des mines paître les ténèbres
Venez qu'on déchire les mots qui restent
Sauvez ces deux enfants : Amour et Imagination
Leur seule demeure est l'oubli
La vérité est une chambre dans laquelle
Tous les oiseaux nocturnes cachent leurs cris
Est-ce là la signification de l'ombre derrière une femme ?
La femme qui s'allonge dans la mémoire de Sade
Sourit à un homme qui rassemble ses papiers
L'arrogance est fleur à la bouche

Une procession perdue de mères
Des mots peureux se tendent vers les hauteurs
Un peuple distrait dévore les lunes.
Est-ce là la résurgence d'une âme dans un crâne ?
Non, j'ai des griffes longues
Avec lesquelles je surprends la cruauté.
Les reliques des poètes dans ma chambre
Sont des gouttes de scandale
Dans une forêt qui cherche des racines
Je vois un loup épuisé qui s'éloigne
Entre ses mâchoires un cœur humain
Ceci est la vérité. Il n'y a pas de surprise.
Ouvrez donc votre esprit à la mer
Fixez le sérail des étoiles
Et soyez heureux à la vue de grands arbres en flammes.
À la maison et sur les collines où tu vas
Ta colonne vertébrale ainsi que l'odeur des chevaux.
Toute chose est propriété commune comme le rire
Un animal bondit de la machine à écrire
Un nuage noir fond dans un pot à lait
La femme heureuse de ses seins émerge de la mémoire de Sade
Se penche sur un homme dans une baraque
Derrière elle, sur la neige, il y a un chasseur qui rit
Un chien et son ombre grognent.

Safaa Fathy

(Née en 1958 à El Minya, Égypte. Auteur de plusieurs recueils de poèmes et de pièces de théâtre, elle a réalisé un film documentaire sur Jacques Derrida.)

LE MARIN

Parce que la question était Où suis-je ?
Les étrangers se sont allongés au seuil des maisons
Pour que le marin trébuche dans leur souffle et insulte l'horizon immense
Sans la moindre croyance.
C'est pour cela que j'ai décidé de visiter les livres et d'y chercher la catastrophe
Lorsque les étrangers serraient sur leurs têtes le voile de l'événement à venir
Pour ignorer le marin ivrogne
Tandis qu'il cheminait par les routes du siècle en allé,
À la suite de l'oiseau de mer égaré,
Tombé un jour sur une voile tracée par les doigts de l'artiste,
Alors je me suis tournée vers le marchand des quatre saisons pour te choisir des fruits,
Qui te tenteront quand l'hiver sera là
Et qui te seront une consolation au moment où tu découvriras la vérité,
Qui est l'absence des couleurs
J'achèterai aussi pour toi une tente de bédouin,
Que tu porteras, quand tu affronteras les naufragés des profondeurs.
Tandis qu'elle est assise sur une chaise du café, compatissante aux passants,
Alors, les oiseaux de mer têtus se retireront,
Et renonceront à dévorer tes victimes,
Après s'y être adonnés.

Elle s'est représenté les tableaux abstraits pour se précipiter dans le convoi rapide,
Tandis que toi, sur les deux côtés, tu agites des chasse-mouches au loin,
Pour ouvrir le chemin.
Les ruines étaient nombreuses, alors je t'ai emmené dans sa maison pour te cacher
Dans les chambres
Et je me suis mise à nettoyer les lieux
Et à mettre les ordures en petits tas
Pour que les savants y cherchent quelques menus trésors
Ou pour qu'ils aèrent les pages qui distillent la brume
Comme si c'était une chasteté ancienne
Ou comme si c'était une dépravation moderne.

Elle est à présent dans un café à la croisée des chemins
Elle épie les passants-oiseaux, devant la cabine téléphonique qui attend
L'éclosion du jour du printemps
Sur une plage qui les rassemble alors les regards les quitteront pour l'infini
La fin les dévorera-t-elle, ces regards ?
Ou bien seront-ils
Perles des profondeurs dans des mers
Qui pourraient empêcher le passage vers le cœur de la place ?
Là, nous te verrons toi, Jonas le sage
Ou peut-être verrons-nous ce marin ivrogne
La brise l'a enveloppé
Alors il n'a plus voulu plonger dans les abysses.

(Paris, 29 novembre 1994 et mai 1995.
Traduction de Zeinab Zaza.)

Mohammed Ghozzi

(Né en 1949 à Kairouan, Tunisie. Auteur de trois recueils de poèmes, il est aujourd'hui professeur à la faculté des lettres de Tunis.)

LES CHEVAUX

Les chevaux qui nous conduisirent vers cette terre
Ces chevaux qui entrèrent à Ninive
Frappèrent aux portes de l'Andalousie
Et ouvrirent celles de Najran aux nestoriens de la nuit

Ces chevaux qui plongeaient dans le sang de leurs sabots
Tressaillaient entre les liens de leurs brides
Et mordaient leurs licous si on venait à les troquer
Se laissèrent guider par l'obscurité.
Chevaux de conquérants aux mors sanglants
Chevaux de cambistes rapprochant des cousins éloignés
Chevaux d'usuriers dans la terre de Kanaan
Ces chevaux plus visionnaires que l'esprit
Sentirent avant nous que le point d'eau était proche

Les chevaux qui nous conduisirent vers cette terre
Ces chevaux qui nous apprirent
À observer les éclairs avant que les nuages ne s'épaississent
À voir « la terre dans une goutte d'eau
Et l'univers dans un grain de sable ».
Chevaux des conquérants barbares
Chevaux des Galitos convoyant la fausse monnaie
Aux confins de l'univers
Chevaux des juifs au pied de Galaad
Ces chevaux déployèrent leurs crinières dans la verdure du vent
Et investirent des villes au-delà du désir
De leurs propres cavaliers

Iskander Habach

(Né à Beyrouth en 1963. Traducteur et critique littéraire au quotidien libanais Assafir, *il est l'auteur de quatre recueils de poèmes.)*

POINTE DE NUIT

(extrait)

Toi, au commencement de la nuit

J'aime la luminosité
D'après le frisson...

J'essaierai
De trouver une ville
Pour que tu me donnes le reste
De ton corps

Toi, au commencement de la nuit...

Ta lèvre
Dresse un salut d'adieu

Je n'ai pas encore fermé la nuit

Le sein
Dessine une route vers Dieu...

Lumière
Qui rassemble une vie éparse
Pour que l'on ne se perde pas
Dans le duvet de l'hiver

Comme l'oubli
Ta pierre de volcan

Comme la nuit
Ta jambe levée

Comme le vent
Nous écoutons le passage de la vie

D'une étoile à l'autre
Une rose se ferme

D'un soupir à l'autre
L'aube échappe
Vers des rivages éloignés

D'un frémissement à l'autre
Naît un monde

Pointe de nuit
Dans le coin de la pièce

Pointe de nuit
Pour me laisser réunir
Ce qui reste d'une vie

Pointe de nuit
Ne dis pas à cet oiseau
De venir

Les herbes gardent
Notre lointain pays

Nous avons grandi
Dans l'obscurité

Ici la lumière du monde.

(Traduit par Jean-Charles Depaule)

Nada El Hage

(Née à Beyrouth en 1958. Journaliste, elle est l'auteur de quatre recueils de poèmes.)

DÉCEPTION

Au moment où le désert capte mes sources
Mon univers se désagrège et disparaît
Au moment où les étoiles de mes nuits s'éteignent
L'ami du soir m'assassine

RÉVÉLATION

Ma bouche est close
Mon cœur déborde
Mes jambes, deux fleurs
Mes yeux, deux épis
Et mes mains prosternées
Ne veux-tu pas me dessiner, me sculpter
Me figer un instant
Au cœur du temps ?
Je suis lasse et mon amour est frêle
Prends ma force
Et donne-moi la paix.

Bassam Hajjar

(Né en 1955 à Gezine Ryya, Liban. Journaliste et auteur de différents recueils poétiques, il a traduit plusieurs livres dont les textes de Heidegger sur la poésie.)

LES MÉTIERS DE LA CRUAUTÉ

(extraits)

1

Il n'y avait dans ce mirage aucune goutte d'eau, pourtant j'y allais tout droit. Le sable avalait mes jambes et le zénith me trouait la tête, pourtant j'y allais tout droit. Je n'ai pas trouvé le chemin des noyés, les canots ne m'ont pas repêché et nulle ombre ne m'a salué. Aucun arbre dans les dunes mais je voyais une ombre. Et j'y allais tout droit. Je n'ai pas trouvé le chemin de ce rêve dont tu m'as parlé, mais j'ai vu le spectre et des gouttes de sel séchées sur les lèvres. J'ai vu le chemin qui commence devant moi et disparaît derrière, mais je n'ai pas vu les maisons. Pas une fenêtre sur le mur. Je fis un signe de la main, appelai et dis « m'entends-tu ». Je ne t'ai point vue mais j'ai senti la transparence progressive de l'air. Tu n'étais pas loin. Je t'ai vue près de moi et tu n'es pas partie. Je me suis vu près de toi et ne suis pas parti. Nous nous sommes levés, ta chemise de nuit était maculée de sable, d'ombre et de sel. Il y avait de la poussière, des coquillages et des algues sur mes vêtements. La fenêtre était suspendue au mur et le matin était là.

2

Nous vivons
Dans cette absence qui est
Ton lieu.

Durs sont les fils
Mais aussi travaux de la cruauté
est la respiration.

Nous vivons
Dans cette absence qui est
Ton lieu.

Une pierre
Une lueur
Un lys
Solitaire
Blanc, blanc
blanc

Et sans cœur.

3

Le cyprès aussi est
Isolement

Comme

La pierre
Est
Le silence.

Simple métaphore.

4

Nous avons vu
Le cocher du landau
Et lui avons donné
De l'eau bénite
Une offrande
Et le coffre scellé
Orné de cercles de bronze,
nous l'avons escorté
Avec enfants et fanfare.

Sur le chemin cortèges
Et hirondelles pitoyables
Qui ne savaient voler
Haut dans le ciel
Très haut
Pour marquer le firmament
Il était midi avec des ombres.
L'ombre du cocher au landau
L'ombre des enfants des fanfares
L'ombre d'un chemin
L'ombre des épines du chemin

Seule une ombre
Indiquait ce lieu
Que ne voient ni le cheval aveugle
Ni les hirondelles.

C'était un cortège
À midi
Où les gens de leur ombre se rafraîchissent.
Et des haies
Et deux saules
Et une porte.

Et une ombre unique fait
Un signe de la main,
Entre
Et ferme la porte derrière elle.

Rula Hassan

(Née à Tartous, Syrie en 1970. Elle a publié deux recueils de poèmes dont Petits Hivers, *1997.)*

TEMPS COURBÉ

Laisse-moi caresser
Ta voix
Et planter de la menthe
Dans ses creusets

Laisse-moi
Balayer la mélancolie
De
Tes jours
Et sécher les figues de ma solitude
Sur ton balcon.

Tel un moineau
La douleur
Fait son nid
Dans mes vers.

SOLITUDE

Dans un parc, une chaise bondée
De son isolement.

Seule, je traverse la rue de la déception
Et toi, tu me traverses comme des ombres.

Adam Hatam

(Né à Bagdad en 1954, meurt prématurément à l'âge de 38 ans à Beyrouth. Cofondateur de l'éphémère revue beyrouthine Raçif 81 [trottoir 81]*, il a laissé un recueil poétique publié à titre posthume.)*

PAROLE DE JADIS

Voici les chants des anges
Où Dieu se dresse seul
Devant le spectacle du désastre

Le feu est témoin de la parole du tonnerre
Point de noms ou de lettres
Seuls la cause des serments trahis
Et le chemin qui à nul passant ne pardonne

Ce feu qui engloutissait les paroles d'autrefois
Dans la cabine de maquillage, rendit la fleur fanée
Réceptive aux balivernes de la trahison
La poussant à répéter les bavardages de l'amant
Dans un hôtel déserté
Mais ce qui advint est parfois indescriptible
Car l'aube à peine levée
L'amant se trouva face aux tombes des géants
Ceux qui donnèrent
Plus de sang à la justice et plus de fleurs à l'amour.

Ce feu qui babillait la nuit entière avec les montagnes
Grande fut notre imagination
Le soir nous contions nos légendes
Et à l'aube nous proférions d'énormes mensonges
Nous apprenions par cœur l'intention de l'outrage
Puis celle de la délivrance

La neige éveille notre amour incandescent anéanti
Nous étions les soldats surveillant
La plus grande manœuvre de la disparition
Nous étions aussi les soldats qui se dressaient
Sur le chemin de la mort
Avec une audace sans pareille
Car personne pour nous n'enraye la sottise du cyclone
Ou ne nous fait disparaître dans la lutte des étoiles filantes

Ce feu jasait toute la nuit avec les montagnes
Quand nous pleurions notre passé
Comme nos frères qui depuis peu s'en sont allés

Le ciel ne fut pas avare
Les astres nous surprirent
Engendrant les jumeaux du néant
L'éclair lui aussi déchira les rideaux du sommeil
Ce ciel, ses dons
L'espace en reporte un autre
Immensité sans limites
Et seule l'errance dessine le pouvoir de l'oubli.

(Traduit par Adnan Mohsen)

Abdul Kader El Janabi

(Né à Bagdad en 1944. Auteur de plusieurs essais et recueils de poèmes.)

SEL ET SOUVENANCES

Je déambulai dans une forêt de lapins éclatants et de très jeunes dauphins, lorsque tiré d'un long cauchemar, je fus jeté du passé sur les traces de mes lointains ancêtres. Sur le rail vallonné des lumières, dans une aube inattendue d'herbe et de salive, je les suivis à pas lents en tous les points de l'empire. Au chevet de la matière, des poètes et leurs égéries blanchissaient le verbe de la nuit en frappant au portail de la survenance. Ils m'apprirent où gisaient mes aïeux – sous la vieille voûte de l'Unicité – et m'indiquèrent le chemin. Il était si long que plusieurs fois je succombai au sommeil. Bientôt, l'Homme vert, patron des voyageurs, m'apparut à l'étoile d'où partent les routes initiatiques, là même où le bleu de la mer s'élève dans le ciel. Il me dit : « Sache que les éléments sont des nombres, les nombres sont des noms, et les noms sont l'alchimie du Levant. Oriente-toi, et tu trouveras ce que tu cherches. » Époques, pierres et fleuves se mêlèrent aux sables de la marche. Après quelques siècles d'errance parmi les ordres et toutes sortes d'illuminations, j'arrivai au séjour de la révélation, un lieu majestueux protégé d'une large douve. Tout autour se dressaient si haut des palmiers de palabres que leur ombrage transformait les environs en un immense parchemin perforé de signes. On y accédait par un pont de bois. À l'intérieur, il n'y avait ni buste, ni portrait mais des emblèmes noirs et blancs et des noms, des milliers de noms sans âge comme des braises dans un âtre déchu. Au milieu de cette pulvérulence où l'éternité semblait se reposer, une simple petite clé attira mon attention. Ne servait-elle pas à verrouiller ce que je cherchais ? Balayant l'espace du regard, j'aperçus la serrure. Une porte s'ouvrit sur une pièce fraîche comme la tombe, où trônait un pupitre de lecture. Je dus me rendre à l'évidence, le libre soleil, l'héritage de mes ancêtres, n'était autre que le Livre. Je poussai un cri si violent qu'il enflamma la limpide substance des profondeurs. Et avant que la lignée ne dévoile les formes de son corps, je ravaudai l'inavouable sur un mirage piqué d'étoiles.

HANTISE

Le désert prescrit
Le poème
L'éphémère
Le feu
Le sang lesté d'éther.

Propice à l'espace absolu,
Aux syllabes mouvantes,
Il désavoue le Livre.

Le désert
Nous arrache à nos fatalités,
À l'alchimie de notre verbe
En nous redressant
Sables médiateurs
Visions belliqueuses
Vagues silhouettes en quête de forme.

Le désert...
Grand lac de mémoire
Vent bruissant à l'oreille d'un cadavre.

Kadhim Jihad

(Né à Nasiriyya, Irak, il réside en France depuis 1976. Traducteur, journaliste et critique littéraire, il a réuni, en 1999, quatre recueils poétiques en un volume intitulé : Toute l'eau accourt vers moi, *Beyrouth 2000.)*

SUICIDE

Pendant le trajet vers l'asphalte, chutant du huitième étage où j'habite, l'univers s'ouvre à moi, bouquet de fleurs contenant d'autres bouquets de fleurs. En chaque feuille, j'aperçois l'un des jours de ma vie et mon étonnement fut grand de voir que les jours de misère dépassaient de loin les rares moments de joie donnés à celui qui présentement vous parle.
Et je me surpris en train de penser – non pour écarter le suicide poursuivant inexorablement son trajet mais parce qu'il faut dire la vérité – que quelqu'un qui connut tant de calamités sans pour autant éprouver la honte d'exister est sûrement en instance de sainteté. Je rêvai alors qu'un miracle se produisait et que je revenais à la condition qui fut la mienne, embrassant chacun des moments de ma triste existence et portant loin, très loin, la flamme – quelle flamme ? –
Quand aura lieu l'écrasement ? Et comme il serait agréable que l'asphalte maintienne entre nous cette distance qui soudain me paraît infinie !

(Traduit par l'auteur
avec la collaboration de Jacques Lacarrière)

Amal Al Jubouri

(Née en Irak en 1967. Journaliste, traductrice et auteur de trois recueils de poèmes, elle dirige aujourd'hui à Berlin la revue bilingue Diwan.*)*

DÉFAITES

Je n'ai adhéré qu'aux défaites
Je n'ai volé le soleil
Que pour bousculer la nuit
J'ai rêvé seulement à une cage grande ouverte
J'ai réglé mes comptes avec la nostalgie
Pour mieux maudire les souvenirs
Je n'ai détruit que les cœurs
Ayant permis que je m'égare dans la foule
Je n'ai ouvert la bouche
Que pour la rue bondant mes lèvres
Et lorsque ma voix s'est fanée
Et que mes mains sont mortes
Les poèmes ont renoué avec moi.

INFLUENCE

Je ferme les yeux
Et le jour meurt
Lorsque je sens ta présence
La nuit se fane
Et j'ouvre les paupières
Pour libérer l'astre du jour.

Walid El Khachab

(Né au Caire, Égypte en 1965. Critique littéraire et traducteur, il a publié un seul recueil de poèmes : Les Morts ne consomment pas, *Merit, Le Caire 2000.)*

(extraits)

Les gouttes patriotes
Lavent le fascisme des gens
Debout devant l'évier de l'Histoire
Qui déborde d'ennui.

L'ennui de l'humain-salle-de-bains
Est plus fort que la vivacité de la femme-cuisine
Et que le calme de l'homme-armoire
Qui préserve les chemises du désir
Et les serviettes de la sagesse.

Les soleils quotidiens
Portent les éclats des heures
Pour entretenir les arbres des pétards
Et les œufs des dieux
Alors, la page des faits divers se déride
Et l'existence huileuse
Cède une place à l'eau.

*

Le dernier tournant
Renversa la route
Et fit de l'asphalte un avertissement général :
Tu connais l'histoire
Mais tu la vois pour la première fois.

À la fin
Tu te souviendras de l'ancienne sagesse
Avec l'étonnement d'un enfant :
Hommes fous
Violents et cyniques.

La loi de l'absurde :
Le bonheur est derrière la montagne
Mais tu ne l'atteindras pas
Parce que l'asphate s'est tordu vers l'arrière.

*

Le train ne passe pas par là
Parce que les herbes ont poussé entre les rails
La mort physique pulvérise nos corps
Sur l'écran du cinéma.

*

Nous ne changerons pas le monde
Nous comprendrons que la dépression est inscrite dans notre chair
Nous l'éradiquerons en l'inondant de café
Dans la chambre extrême du cerveau.
La hiérarchie des classes
Est vieille comme le monde
Intime
Comme les dieux qui prennent leur bain avec nous le matin
Arborant les masques des animaux pharaoniques

(Traduits par l'auteur)

Hussain Kahouaji

(Né à Kairouan, Tunisie, en 1959, poète et homme de théâtre, il a publié plusieurs recueils de poèmes et des récits biographiques.)

Pour Georges Schéhadé

Hamza sur alif, oiseau sur épi.

*

Qu'est-ce que la chauve-souris ?
Une souris qui vole en soutane

*

L'aube est à ma porte
Et je ne sais
Combien d'étoiles se sont noyées cette nuit ?

*

Un poisson vert
Chante au pied du corail
Quitte les villes, la poésie
Viens, que je te cache dans la nacre des perles.

*

Sous l'arbre
Une grand-mère bossue
Dans sa paume
La quenouille tourne.

*

Le matin de l'aide
Passa une hétaïre
Deux pêches de honte sur son visage

*

Souriante
La lune écoute les soupirs
Des roses somnolentes
Dans le halo des lumières et des encens.

*

L'écorce de la terre est ensanglantée
Par les épines et les chardons
Et eux dans les cieux sont allés
À la quête des plaines et des vallées !

*

Aux flammes éclipsées de l'astre du jour
La fleur du tournesol
Baisse la tête avec regret.

*

Montagnes sans nom sommeillent
Troupeaux de brouillard
Pâturent paresseusement dans les prairies de l'aurore.

*

Oh ! ruisseau des éclats de rire
Au-delà du fleuve souffle le vent de la malaria
Et sur les rives poussent des touffes de chevelure
Et des ongles pour les morts.

*

Combien de déluges pour que pousse sur ma blessure
L'herbe de l'oubli.
Oh ! mon cœur, champ de bataille.

*

Des jardins de la mer
Les pêcheurs ont ramené aux gardiens de phares
Une guirlande, des colliers en corail – et un bouquet d'étoiles.

(Traduit par Miled Amor)

Ibrahim Al Khaledi

(Né en 1971 au Koweït, est journaliste et auteur de plusieurs recueils. Il dirige aujourd'hui La Différence, *revue consacrée à la poétique.)*

UNE OMBRE

Dans la rue, une ombre haletante,
Naine confondue par l'ampleur de ma taille,
Elle s'étire parfois jusqu'aux nues
Ombre vagabonde honteuse de son ombre
Je la reconnais
Elle me suit depuis ma tendre enfance
Se mesure à moi
Revêt mes habits
Et contrefait ma façon de lire les poèmes
Je lui fais mes adieux dans chaque aérodrome
Une nostalgie commune nous unit alors
Mais elle est toujours la première à m'accueillir
Sur le tarmac d'arrivée.

UN BEL EXIL

Sans patrie
Il a laissé son foyer
Et flotté comme un nuage.

MASQUE

Toi qui fais l'ignorant
Comme tu ressembles à ce visage
Dans lequel mes amis m'ont caché.

Dhabia Khamees

(Née en 1958 à Dubaï, Émirats Arabes Unis. Journaliste de télévision elle est aussi essayiste, traductrice et auteur de différents recueils.)

POUR NE PAS MOURIR

Par mes pieds paresseux
Tire-moi jusqu'au fleuve sacré
Lave ma main droite de limon frais
Et couvre la gauche d'herbes tendres
Porte le reste de mon corps dans le fleuve
Laisse ma tête au sec
Et ouvre mes yeux encore clos.

Presque morte,
Amène-moi jusqu'au fleuve.

AU BORD DU LIT

Exténuée, muette et rétive
Au bord de l'attente.
Lorsque je dors
Mon lit solitaire
Ronge mes membres
Qui me fuirent au réveil
Comme des îles dures et dispersées.

Adel Mahmoud

(Né en 1946 à Lattaquieh, Syrie. Poète, journaliste et critique littéraire, il est l'auteur de quatre recueils de poèmes, un recueil de nouvelles : Les Tribus, *1978, et un essai :* Première Personne du singulier, *1999.)*

VISUELS

(extrait)

Ce train se dirige vers la station Printemps
Et ces gens emplissent leurs paniers de violettes
Le jour de fête ne durera pas plus
Que vingt-quatre désastres
Quant à moi
Comme un primitif
Je vais marcher
Aujourd'hui même
Le matin, à l'heure exacte du désir,
Déchaussé
Dénudé
Débraillé
Dissimulant de la rancune.
Je vais marcher, marcher
Marcher encore
Jusqu'à voir de mes propres yeux
Le créateur du givre de ce monde
Et allumer l'idée du feu en sa demeure.

Issa Makhlouf

(Né à Zghorta, Liban en 1955, il réside à Paris depuis 1979. Journaliste et traducteur, il a publié quatre recueils de poèmes et plusieurs traductions.)

EN CE LIEU

Lorsque nous ferons le dernier pas, nous trouverons ce que nous avons égaré au long du chemin. Nous dormirons. Ô main dans la nuit des cavernes ! Main qui s'apprête à égorger ou embrasser ! Nous dormirons longtemps après que les nuées de musique auront dévié de leurs partitions. Nous dormirons dans la verdure du fleuve, dans le silence continu des marbres. Ici, en ce lieu même, dans l'entrelacs des branches et la rosée du métal, la terre enfouit ses mystères. Assurée de son sort, l'éternité se repose dans nos poitrines.

SUR LES PLANTES, UNE MAIN

Une main sur les plantes, une autre sur la foudre. Qui donne le signal à la pluie pour tomber, au vent pour se lever ? S'il le veut, il peut faire de la terre un océan de sang, s'il le veut, il peut la combler de roses et de tranquillité. Il suffit d'un signe de sa part pour que l'eau vive coule parmi nous.
Comment l'herbe de l'été peut-elle pousser sur les rocs de l'hiver ? Comment un enfant peut-il respirer entre deux rochers dans les fissures desquels croît la fleur de légende ?
Sur ce rivage elles sont venues. Vingt femmes et vingt fillettes qui à leur tour deviendront des femmes. Au soir de leur arrivée, un air chaud s'est levé et les pollens se sont agglutinés. Femmes et fillettes sont venues puis ont engendré. Peu avant leur départ, elles ont allumé une goutte de sang, une goutte jaillie de la blancheur du corps.

Bassam Mansour

(Né à Bet Mellat, Liban. Poète et journaliste, il a publié deux recueils poétiques.)

TAPIS VOLANT

De la racine
L'arbre progresse jusqu'à se perdre
Dans les nuages.

De la racine
Les souffles progressent jusqu'à se perdre
Aux marges de la chevelure.

De la racine
Les baisers progressent
En tribus et peuples
Vers la fosse qui ne se comble ni ne se vide.

Tu te rapproches et le voyage revient au point de départ
Je me rapproche
Et l'espace s'élargit encore.

Le corps,
Tapis volant.

En toi
Mes deux ailes grandissent.

Salman Masalha

(Né en 1953 à al-Maghar, Israël. Auteur de trois recueils poétiques, il vit à Jérusalem où il enseigne la littérature arabe à l'Université hébraïque.)

LA FILLETTE DE GAZA

Avec les plumes de la mer
La fillette de Gaza confectionne des nids.
L'homme qui derrière la muraille se tient debout
Abrite sous son regard
Un collier de souvenirs.
Après avoir traversé la rue,
Les légendes, dans les nids,
Éclosent comme des œufs
Des enfants courent se blottir
Dans la couleur du temps
Ils recueillent la voix timide
Des sables du désert
Le soir venu, les larmes se dispersent
Et mouillent la route de la mer
La nuit sourit à l'exil
Le poète rend son dernier soupir.

Zakeria Mohammed

(Né à Zâwiya, près de Naplouse, en 1951. Ex-rédacteur de la revue de Mahmoud Darwich Al Karmel, *il a publié trois recueils de poèmes.)*

BALLONS

Eh toi qui me surveilles à travers
La perforation de la balle que je porte dans le dos
Je n'ai en bouche que des mots
Que je mâche et mastique
Pour en faire des ballons
Qui explosent en mon cœur.

———

L'ENDORMI

L'endormi rêve
Le rêve est une prairie
Dans la prairie un troupeau de moutons
À leur cou des grelots tintinnabulent
Quand le sommeil s'appesantit.

Personne ne passe près de l'endormi
Afin de le tirer du sommeil
Pas même un bélier pour lui donner un coup de cornes

Le soir tombe
Les moutons s'éloignent vivement
L'endormi suit leurs grelots
Et les béliers
Conduisent l'endormi et le troupeau
Traînant à leurs cornes l'obscurité de la nuit
Sur d'infinis pâturages.

LE CHEVAL

Sans cavalier, le cheval galope
Le soleil brille sur son échine et sa croupe
Le cheval galope sur une terre d'herbes et de pierres
Les oiseaux à sa vue ont fermé les yeux.
Et, à la vitesse de l'éclair,
La peur a gelé les hommes
Qui l'ont aperçu du haut d'une colline.

Tous ont vu l'abîme
Sauf le cheval qui s'y précipitait.

Le merveilleux cheval est tombé dans l'abîme
Avant même qu'un oiseau crie,
Que l'éclair ne se déchaîne
Le cheval s'est abîmé
Son ombre en nuée noire
S'est transformée au-dessus des vallées.

Premier résumé

Sur son échine et sa croupe le soleil brille
Les oiseaux à sa vue ont fermé les yeux
Les hommes qui l'ont vu
Un éclair les a gelés

Tous ont vu l'abîme
Sauf le cheval qui s'y précipitait

Second résumé

Tous ont vu l'abîme
Sauf le cheval qui s'y précipitait.

Adnan Mohsen

(Né à Bagdad en 1955, il vit en France depuis 1983. À son actif trois recueils : La Mémoire du silence, *1994,* Ainsi de suite, *1995 et* De l'autre, *1996.)*

DE FIL EN AIGUILLE

La prochaine fois
Je mettrai la nuit à mes côtés
J'appelle mes rêves
Avant qu'ils ne se multiplient
Je leur apprendrai à s'asseoir devant moi
Quand ils se plaisent avec moi
Je leur dis :
« Rêves ! Soyez plus longs que cette nuit »

La prochaine fois
Je conduirai le jour dans ma chambre
Je lui apprendrai à comparaître devant moi
Quand il se plaît avec moi
Je lui dis :
« Jour ! Aide-moi »

Hassan Najmi

(Né à Ben Ahmed au Maroc en 1959. Poète et journaliste, il a publié quatre recueils de poèmes et un roman. Il est aujourd'hui président de l'Union des écrivains marocains.)

LA PETITE FEMME

Lors d'une nuit pluvieuse, elle se leva en larmes.
Telle une pluie solitaire, elle pleurait
Je ne quittai pas davantage mes yeux du livre
Que je n'étanchai ses pleurs

Avant que je ne sombre dans le sommeil
Elle apparut au dernier chapitre du roman

Pour ne pas pleurer
Je fermai le livre et posai ma tête contre l'oreiller

L'AZUR DU SOIR

Je désire d'autres lieux pour te voir
Des pelouses pour nous attarder
Une langue assoiffée pour boire et te nommer
Je désire une nuit
Je désire que mes journées doutent encore.
Je te désire.

Dans l'azur du soir, ô combien je te désire
Et ne te désire pas.

Ah ! ce frisson tombant du nuage de la nuit.

Amjad Nasser

(Né à Al-Turra, Jordanie, en 1955. Poète et rédacteur en chef de la page culturelle du quotidien londonien arabe Al-Quds al-Arabi, *il a publié plusieurs recueils poétiques et un livre de voyages.)*

THÉÂTRE

Je ne suis pas de ceux qui attendent, alors je n'attendis pas. Une chose inconnue parcourut mes cinq sens et s'éclipsa. Une bulle se posa sur le bout de mon nez et explosa. Le bruit des oiseaux transporta l'endormie de son lit et la posa devant le miroir. Une pluie inattendue vint mouiller l'image floue d'un horizon. Personne ne put prévoir son avènement. Des enfants traînant un chiot par la queue surprirent les passants de leurs tristes sifflets. L'embrouillamini poussa les pessimistes à marmonner quelques phrases du Coran, car l'heure de la rupture du jeûne avait sonné. Alors la famille s'aligna autour de la table. Le devoir commande d'attendre celui qui, comme d'habitude, doit s'asseoir à la place d'honneur. Ils cherchèrent à clarifier la situation. On entendit des lamentations venant d'en haut. Un enfant jouait avec un couteau de cuisine. Heureusement l'endormie replongea dans le sommeil et la famille se contenta de brèves gorgées de thé. Des cloches tintèrent. Une odeur étrange affluait comme si un troupeau de chèvres pâturait les herbes de l'aisselle. Voilà ce que le mari dit à sa femme dans son ultime lettre. Mais l'air vif qui souleva le rideau signifia alentour que tout était joué.

PLANTES DE L'OMBRE

Il est aussi difficile d'aimer que de fréquenter une femme étrennant son amant avec des monologues, ou respirer les fleurs de piments qui du jardin exhaussent le parfum viril. L'homme éternua puis passa son chemin entre les lignes blanches et noires sans tomber amoureux.
Car l'amour est aussi difficile qu'un sommeil sous la lumière des astronefs, aussi difficile qu'un langage dépouillé au midi tropical et porté sur le trône de la ponctuation.
Lorsque nous croisâmes des personnes discutant âprement de l'amour, une femme tendit la tête à une fenêtre proche au point de donner l'impression que la guerre était toujours vivace dans le dernier quart du verre.
En ce temps-là, les anneaux aux chevilles n'avaient pas encore leur caractère de séduction. Un sanglot aussi puissant que le monnayage se fit entendre au moment où nous enfourchâmes nos montures. Sans nous soucier du frisson qui gagnait l'encolure des chevaux, nous les aiguillonnâmes. Mais le jour se leva, et le sanglot résonnait encore au sein des livres.
Un homme nous dit : Ils étaient trois ; leur chien était le quatrième.
Et un autre de poursuivre : Ils étaient quatre, et leur chien était le cinquième.
Une femme sentant fort la camomille s'exclama : Les eaux jouxtent l'épaule de la montagne, lavez vos habits et endormez-vous.
Bientôt le courant électrique revint et la paix s'installa. C'est ainsi qu'aux quatre coins de la chambre, l'amour n'est plus possible en présence des plantes sciaphiles.

Fatma Qandil

(Née en 1958 au Caire. Elle a publié divers recueils de poèmes.)

SES ARTÈRES TRANSPARAISSAIENT

Comme toutes les mouettes des contes, je partis... Toute seule... Mes amis s'agrippaient tellement à ma barque que leurs paumes ressemblaient à des colombes suspendues... Toute seule... comme un bris de glace laissant transparaître ses artères... Je leur promis des poissons morts... L'eau esquivait le flanc de ma rame en chantonnant... Je n'étais pas tentée par le vrombissement des poissons multicolores, et avec mon sang chaotique, je me frayais un chemin parmi les arbres sauvages... Il y avait un îlot que je baptisai « la pupille de l'eau » où je pouvais percevoir les rivages lointains glissant dans les coquilles... Celles-ci ouvraient leurs lourdes paupières et les perles cachaient leurs sexes... Je passai de l'écume au bâillement des surfaces... Je pouvais m'accouder aux murs de la mer et mettre mon âme en bouteille... Les marches de l'horizon parurent basses... Je me lavai dans une langue que j'ignorais... Elle se blottit contre moi et je la couchai sous mes seins loin du cœur... Ainsi je cueillis le brouillard et le revêtis d'ailes pour que la mer le berçât entre ses rives... Lorsque ma barque fit naufrage... Je m'étais adossée aux trottoirs des vagues... J'étais toute seule... Je traînais les fils de l'horizon pendant de ma mémoire et en tissais un filet ample dans les rectangles duquel tombaient des images humaines... Et peu à peu... La pupille de l'eau s'élargissait...

(Traduit par Walid El Khachab)

Saif Al Rahbi

(Né en 1956 à Surour, Oman. Poète et journaliste, il a publié plusieurs recueils. Il dirige aujourd'hui la revue culturelle Nizwa.*)*

ROMANCE

L'ombre d'une femme seule
Dans un coin du café
L'ombre d'un tigre blessé
Océan de séduction.

L'éveil du sauvage attiré par le jardin du sexe
Comme si un petit feu de velours
Captivant
Prenait dans le coin.

Elle fit ses adieux
Et s'attarda en fumant devant l'album de photos.

Des renards fous bondissaient dans les grottes voisines
Tandis que les moutons lapaient l'eau stagnante du lac.

L'ombre d'une femme seule
Est plus tendre que la maternité,
Une femme seule
Dans un coin hululant de fantômes.

Abdelmoniem Ramadan

(Né au Caire en 1951. Il est l'auteur de cinq recueils dont Étranger pour la nuit, *1999 et* Loin des êtres, *2000.)*

UN VOILE

Il y a longtemps
Très longtemps
Très très longtemps
Un oiseau se posa sur le mur
Un petit garçon qui jouait l'aperçut
Une petite fille qui jouait l'aperçut
Ils regardèrent ses griffes affables
Ses ailes frêles
Et son bec fragile
Et peut-être l'oiseau considéra aussi
Leurs doigts fins
Et leur voix cristalline
Mais avant qu'il ne puisse dire : « Je suis un oiseau »
Et qu'elle puisse dire : « Je suis... »
Dieu surgit dans son manteau noir
Posa le pied sur l'oiseau
Et attrapa le petit garçon de ses mains dures
Il les conduisit à l'intérieur
Il y a longtemps
Très longtemps
Très très longtemps
Depuis, le petit garçon ne peut s'endormir
Sans glisser ses mains sales
Dans la barbe de la nuit
Et l'arracher.

Mouayed Al-Rawi

(Né en 1939 à Kirkuk, Irak. Poète, peintre, journaliste, critique d'art, il n'a publié qu'un seul recueil : Les Probabilités de la clarté, *Beyrouth, 1978.)*

INTERPRÉTATION DU LIEU

Êtes-vous sûr que c'est Comala ?
Sûr, Monsieur.
Et pourquoi semble-t-il mélancolique ?
Le Temps, Monsieur.
Juan Rulfo

– Que disiez-vous déjà ? Quel est ce lieu ?
– *Méta-Ur,* Monsieur,
Condamné à n'être qu'arbres le matin,
Sept fois inondé par les eaux du Nord, avec ses hautes forteresses
pour patrimoine des tribus

– *Méta-Ur,* Monsieur, confiné dans l'oubli
Les phares de ses fleurs encerclés de cadavres
Ses gens ont renoncé à la pratique de la mémoire

– Qu'en est-il du nom de cet homme ?
– Délaissé, Monsieur :
Sorts
Spectres
Et cycles
Tantôt il est brûlé par les diables, tantôt il vise l'oubli de son propre oubli

– Un homme qui se forge une expérience
Promet aux océans
Ses tombeaux délabrés
Ses guerres perdues

– Ce sont les promesses, Monsieur, hallucinations de tonnerres
Et ce spectre y voyage
Odeur de poussière dans la quiétude du rite
– Certainement, Monsieur, des étoiles plein les malles
L'air mécontent
Hanté par les carcans
Dans l'illusion du lieu

– Et pourquoi navigue-t-il dans sa chambre obscure ?

– Le Temps, Monsieur. *Méta-Ur* est l'abolition de l'expérience du voyage
Les eaux s'étancheront
Le vaisseau de la connaissance accostera
– C'est l'apocalypse, Monsieur,
Que ces signes promettent
L'éclair s'éteindra
Et nous sillonnerons les étendues de la communication
À la lumière
Des mots

(Traduit par Mohamed El Ghoulabzouri)

Mohammed Faqih Saleh

(Né en Libye. Il a publié un seul recueil de poèmes.)

SOUHAIT

Un lieu
Comme ce cimetière,
Propre et sûr où
L'herbe peut somnoler
Et s'éveiller en liberté.

———

ALPHABET

Au royaume de la nuit
Les oiseaux suspects, du jour éclos
S'envolent pour l'étrangeté
Vers la pure palpitation des êtres avides.

Entre les brèches des choses
Sont semées les épines de secrets
Tels des charbons intacts

Dans la tente de la nuit
Sur moi je me replie
Comme une fleur vide
Qui dans le pot de l'insomnie
S'étire et éclôt...
Rien ne s'élève ou ne voltige qu'un palmier de questions :
Qui agite les lettres
Lorsqu'ils rampent comme des fourmis molles
Sur l'écorce du monde ?

Et qui les fera fondre
Pour qu'ils glissent vers les profondeurs
Où la terre tremble chauffée d'une colère contenue,
Et où les rites en cet enfer
Secouent leurs membres ?

Et qui plantera ces lettres
Comme une fleur cruelle dans les cendres lancinantes ?

DEUX FRAGMENTS

1

Que serait-il, si une seule lettre conduisait
Toutes les langues vers la fosse ?
Resterait-il encore l'obscurité ?
La parole captive continuerait-elle
De couver ses furoncles sous la peau ?

2

Dans cet immense silence tapi
N'y a-t-il pas un sein, un cri ?

Helmy Salem

(Né en Égypte en 1951. Journaliste, critique et auteur de dix recueils de poèmes, il est aussi le rédacteur en chef de la revue littéraire cairote Adab wa Naqd.*)*

LA SACOCHE

Le fil qui liera la fille au garçon
Au bout de vingt ans
Personne ne l'a vu.
Et en les trouvant nez à nez
Ils ont retiré de la sacoche
La théorie de la conspiration.

———

CADEAU

Nous pouvons résister aux souverains des sectes,
En faisant demi-tour vers la direction opposée
Parce que nous sommes légers
Ces tout-puissants tremblent
Chaque fois que deux personnes
Échangent un sourire
Avant et après l'amour
Pour les trafiquants du doute
Voici notre cadeau :
Des béquilles.

———

ACCOUCHEMENT

Il s'agenouilla sur son corps
Comme un léopard
Colla son oreille à son ventre
Comme un voleur
Il la fit lui-même accoucher
Pour voir
« S'abreuver la chamelle de Dieu »
En me retirant
Il ignorait
Que j'attendais
L'agenouillé
Et le guetteur.

CERF-VOLANT

Les maisons sont rongées par l'humidité
Aussi lancent-ils les cerfs-volants
Par-dessus les toits
Pour fixer les maisons au sol.

(Traduits par Camélia Sobhy)

Ahmed El Shahawi

(Né en 1960 dans un village du delta égyptien. Il a publié une dizaine de recueils de poèmes.)

LES HADITHS DE LA MORT

Entre Nous
Un cheveu de rencontre.
Je T'ai vu.
Oui je T'ai vu.
Je sais que tu me voyais
Dès lors que tu touchas mon corps
À mon dernier exode.

*

Il connaît tous mes secrets
Il m'offre son cœur une fois
Je lui offre ma vie entière
Il me « lance » son affection
Je lui « lance » le dernier brin de la Passion.

*

À la lisière de la Folie du poème...
... Toi.
Alors prépare-toi à l'Amour
Sois comme il te conviendra
Et offre à mon cœur un refuge à l'abri.
Si pour quelques instants
Tu habites le lit
Souviens-toi
Que celui qui était au-dessus de ce lit
Est un Prince.
Que ne m'a-t-Il épargné la lutte
De la séparation

Que n'a-t-Il réfugié son départ
Dans mon départ
Ah s'Il savait que les Mers
En voyant mon approche
Ont modifié leur cap
Pour m'escorter.

*

Il dit :
Approche, prosterne-toi
Et il en fut ainsi.
Il dit :
Approche, adore-moi
Et il en fut ainsi.
Il dit :
Calme-toi et tends les mains au ciel
Et il en fut ainsi.
Il dit :
Coule
Monte vers nos ciels
Lumière pour les croyants
Et il en fut ainsi.
Alors ils se sont rencontrés
Se sont fondus l'un dans l'autre
Et Dieu tramait un cycle à sa marche.

(Traduit par May Telmissany et Mona Latif-Ghattas)

Samuel Shimon

(Né en 1956 à Habbaniyah, Irak. Poète au gré de ses humeurs, Old Boy, *1990, il rêve de réaliser un film racontant toute une vie, tout un pays. Il dirige aujourd'hui avec Margaret Obank* Banipal, *une revue anglaise consacrée à la littérature arabe contemporaine.)*

DES FENÊTRES SANS MAISON

(extraits)

À Johnny Halliday

La nuit
Sur le pont de la Concorde
L'Assyrien triste trouva
Sa langue perdue
Il n'était pas seul
Sur le pont de la Concorde
Il portait sa faim, ses vieux vêtements
Sa barbe, la pâleur de son visage
Et ses souliers fatigués comme ses poches.
Cette nuit-là
L'ancien enfant palpa son grand nez et dit :
« Mes amis ne sont plus mes amis
et je ne suis plus leur ami ! »
Il n'était pas seul
Sur le pont de la Concorde
Quand il regarda la Seine
Gelée de froid.

À Julia Roberts

Seule la feuille d'automne endormie sous la pluie
Connaît ma soif.

———

À Jaqueline Bisset

Chaque fois qu'apparaît un nuage
Une étoile brille en mon corps.

———

À un prêtre

Toi qui ne connais pas la saveur de ton corps
Pourquoi parles-tu toujours de l'amour ?

———

À Jodie Foster

Qui enlace un arbre
Sait ce que femme veut dire

———

À Steven Spielberg

Chaque fois que je me sens en exil
J'entre dans la salle de cinéma la plus proche :
Mes parents et mon pays.

À Jim Jarmusch

Devant l'aventure
Les grandes villes ne sont plus que
Chambrées de pauvres.

ÉPILOGUE

Non, Dieu n'est pas un
Il est comme
les formes
les couleurs
les âmes
les mesures
les bien-aimées
et les fleuves
Non, Dieu n'est pas un
Non, la patrie n'est pas une
Non, l'individu, lui-même, n'est pas un.

(Traduits par Samiyya Akl Boustani)

Abdo Wazen

(Né à Beyrouth en 1957. Traducteur et rédacteur en chef de la page littéraire du quotidien Al Hayat. *À son actif quatre recueils de poèmes et un récit érotique,* Le Jardin des sens.*)*

BAPTÊME

Si l'arbre ne me fait pas fête
J'irai m'asseoir à la clarté du jour
Seul comme d'habitude.
Si le ciel ne m'étreint pas
Je descendrai au fleuve
Me baigner dans ses eaux
Et en sortir luisant
Comme un gravier
Immaculé comme une colombe.
Puis je m'exposerai debout au soleil
Pareil à un prophète qui a perdu sa flûte.

ATTENTE

Ils n'ont mérité la nuit qu'en écoutant la brise de leur mélancolie. Le ciel immense ne leur envoyait ni lys, ni luth. Ils s'assirent pour fixer l'étoile fuyante, attendant que la moindre branche s'épanouisse sur l'étendue de leurs regards.
Lorsque la nuit les gagna, ils retirèrent sa couronne, jetèrent ses nuages aux oiseaux du jardin puis se mirent à attendre le voleur dont ils avaient vu le visage dans leur livre.
Depuis cette nuit, ils attendirent le voleur qui ne vint pas.

(Traduits par Marie Taouk)

les inédits de poésie 1 /vagabondages

Aurélien Onnen

Collection « Romans »

LE PARTAGE DES OMBRES

PIERRE KYRIA

264 pages, 110 F / 16,77 €

NATHALIE BLAISE

Des fleurs dans la tête

DES FLEURS DANS LA TÊTE

NATHALIE BLAISE

180 pages, 89 F / 13,57 €

le cherche midi éditeur

Aurélien Onnen

Aurélien Onnen vécut de 1979 (Paris) à 1999 (Antony). À côté de ce qu'on aime à son âge, il aimait écrire – partout et tout le temps – et lire : René Char, Pierre Reverdy. Il aimait aussi les pays du Nord – Hollande et Danemark, l'Inde et la nuit. Il a laissé une cinquantaine de poèmes et un journal.

SANS TITRE

Il faut que mon esprit
ait son espace libre de rire d'être vague
sur le sol tendre de cette vie
contre les sueurs de quêtes inutiles
Vaines
Un lit d'unique paresse
        Douceur sommeillante reine d'une heure
contre mots blessants maux profonds stupides.

1997

SANS TITRE

Les terres qui soupirent
Car en elles nos pas
Amers se déchirent
Et ne reviennent pas –
Que racontais-tu
Jamais le même
Aux mêmes endroits
Tu reviens
Tu aimes la distance
la trace
Et pour l'instant
Ton ombre qui partout s'efface

1997

SANS TITRE

Le visage sur la vitre vers le ciel
la peau de mers bleues au cœur de nuages
un bouquet d'horizons lèvres de miel

Le visage sur la vitre
vers le ciel
la peau de mers bleues
au cœur de nuages
un bouquet d'horizons
lèvres de miel
la nuit coulée
sur ton souffle encore songe

1997

---

19 H 48

une femme est sortie de la cheminée
les oiseaux chantent à ta place
à l'endroit que tu as laissé
une ligne horizontale
suspendue par un bras inconscient

---

19 H 55

Ce que je tenais dans les mains
est parti moins loin que je ne
le sens. M'étais-je accroché
au corps d'un oiseau ? Lequel
m'a laissé dans la cui-
sine et, par une fenêtre est
retourné à son voyage.

SANS TITRE

Enferme-moi dans une bulle de savon
Dévore-moi les paupières
Vois-moi alors que me berce le son
Et au retour vouloir garder la terre.
Une éclipse de terre
Un drap de lune
Qu'importe à l'esprit la misère
Seule chose qui n'a pas de chanson
N'y ferme pas les yeux ni le cœur
Et écoute la plainte, en silence.

poètes en ligne

Nacéra Belloula

Jean-Claude Albert Coiffard

Catherine Lange

Aaron de Najran

Villa Saint-Clair

Christophe Tournier

HUMOUR

PENSÉES, RÉPLIQUES ET PORTRAITS
RIVAROL
180 pages, 85 F / 12,96 €

LES PENSÉES
OSCAR WILDE
192 pages, 85 F / 12,96 €

LE GRAND LIVRE DE LA MÉCHANCETÉ
PIERRE DRACHLINE
324 pages (154 × 240),
98 F / 14,94 140€

le cherche midi éditeur

« Voiles trempés dans l'encre de la nuit... »

Chers Internautes et Poètes,

Dans ce choix de poèmes, on observe que la femme est au centre des inspirations. La femme mère, l'initiatrice, celle qui contient le premier feu de vie, mémoire absolue au fond de laquelle on puise à même le ventre de ses racines. Mais aussi, la femme charnelle, l'amante interdite, la *danseuse*, objet de désir quoique intouchable, troublante encore car sentinelle de solitudes secrètes, car éternellement blessée, mutilée sous son voile derrière lequel sont scellés ses *rêves perdus.* La femme arabe est comme inachevée mais reste... infinie. Soumise par les hommes, elle règne en souveraine nourricière sur la foule inavouée de leurs songes – espoirs et illusions mêlés – des songes tissés dans la terre d'une immuable superbe, conquérante, légendaire, sous une cascade d'étoiles qui renaît chaque nuit comme renaît un serment sacré ; la fierté d'un peuple ancestral.

Voici six poètes choisis par les internautes, autour du monde et de la civilisation arabe.

Nacéra Belloula

40 ans

POÈME POUR UNE DANSEUSE ARABE

Pieds nus ourlés de bracelets argentés.
Voiles trempés dans l'encre de la nuit
Cils chargés de fils satinés
Battent ses bras nus comme l'aile en folie d'un papillon gris

Elle tournoie, vacille, s'épuise,
Rompue par les baisers volés
Ses tatouages séculaires,
s'éclatent en myriade de lumières

En ombre flottante reprend son déhanché
s'agite, s'invente une lumière
pour nourrir la femme qu'elle est
frustrée par ses voiles infinis

Tu la vois ? C'est une alouette
Qui cache ses plumes soyeuses
Sous ses djellabas fanées
Pour nourrir ses hommes de fantasmes, de murmures.

Ses jambes félines se lancent dans les airs grisant l'ardeur des amants
naît
dans l'alcôve fleurie de sa pensée
où s'endorment baisers et contes de fées

Mains nues ourlées de fils de hennés
Tissent sur sa tête voilée
Les arabesques d'un rêve perdu

Jean-Claude Albert Coiffard

67 ans

LA PÉNICHE BLEUE

À la mémoire de Rabah Belamri

Doucement
ta main
écartait l'herbe du livre

sous la mousse
jaillissait
l'eau d'une source

le poème
appuyé sur ton épaule
guidait ta plume
sur les berges d'un songe

nous t'avons suivi
entre les vagues de la nuit

nous t'avons suivi
aux confins des mots

sous tes pas
fleurissaient
les roses de l'aurore.

Catherine Lange
36 ans

LE DON D'ALLAH

Le sable hurle sa solitude
griffant le seuil des nuits et les jambes des chamelles.
Tempête...
Le désert se voile comme une houri
dans sa danse il tournoie,
s'enivre et perd la tête.
La mort se glisse
impatiente, elle masque les étoiles.
Sous la tente caïdale
pleuvent des arômes poivrés de menthe,
et des vapeurs luxuriantes
enroulent la clepsydre.
La source jaillit, brûlante
de son écrin de métal,
Elle chante la douceur du miel
et les senteurs ambrées à la tombée du jour,
Elle chante le temps du repos
aux jardins de l'Agdal.

Aaron de Najran

LE PORTRAIT D'UNE FEMME

Dessine d'abord un visage
une âme
des yeux profonds comme des ambres
esquisse le contour d'un sourire
pose-le sur le visage

Dessine ensuite un corps, au crayon fin
avec deux pommes des seins
un cœur qui bat
une robe d'aquarelle
décore avec des oiseaux d'argent
des perles de verre
une cerise de corail
parfume à ton choix
un grain de santal ou de cannelle

Vérifie ensuite que tu n'as rien oublié
chevilles, cils, grains de beauté...
quand tout sera en place
tu verras le dessin se mouvoir
de lui-même
comme flotte une algue

Maintenant, la dernière touche
la plus importante
Renverse l'encrier sur le dessin
d'un coup, sans hésiter
il faut que l'encre recouvre bien le dessin
de la tête aux pieds

comme une cagoule
et l'encre doit être bien noire
bien mate
pour étouffer les rires et les cris

Si les doigts dépassent
coupe-les
de même les pieds

Voilà, le portrait est fini
c'est une femme d'Arabie.

Ce sera ta mère, me dit-il simplement.

Villa Saint-Clair

39 ans

Je marche pieds nus sur le sable des dunes,
Et je me souviens de ma mère berbère...

D'elle je sais tout de nous, de nos parfums d'orient.
Je suis d'un pays où nos écrits sont des dessins,
Où les nuits sont mille et une, et où les roses et les Princesses
Règnent sans partage sur les rêves des hommes.

Je marche tête nue dans les chauds vents safran,
Et je me souviens de mon père, de ma terre...

De lui je sais nos promesses de peuples fiers,
Nos courses furieuses et nos conquêtes d'Andalousie.
Je suis d'un pays de déserts, d'oasis, et d'étoiles
Où les nuits sont chemin, la nature l'esprit de Dieu, et les
[Princes magnanimes

Car ayant peu, nous pouvons beaucoup.

Je marche sur les traces de ma culture,
Une civilisation de mouvement, de légende, de don aussi.
Et je me souviens...

Christophe Tournier

42 ans

Mohammed tient l'hôtel d'un bras altier.
Son tea-shirt est polyglotte.
Il avoue ne pas aimer les filles.
Pour moi, leurs frères sont détestables
qui m'empêchent de murmurer à leur nombril.

Je dévore des ballons de foot sur les terrains vagues
et, sur les terrasses, des avocats pressés dans du lait.

Devant le four banal, de petites fées rieuses
se déhanchent pour livrer leur cerceau à cuire.

Les vieux pèlerins, portés par la prière,
halent des cerfs-volants en servant le thé à la menthe.

Le soleil s'accroupit près des joueurs de dés.

Contemple qui contemple. Boire aux yeux des filles.

Une amphore juchée sur le dos,
La semelle taillée dans le zeste d'un pneu,
Les femmes aux babouches d'or
soulèvent un galop de poussière
parmi les cailloux roses et les figues de barbarie.

l'info rmation poétique

lu pour vous

la revue des revues

nouvelles de la poésie

quelques propositions de lecture

Lu pour vous

Chroniques de
Michel Baglin
Jean Orizet
Pierre Perrin
Jean-Max Tixier

Yves Mabin Chennevière

Mémoire d'un temps éventuel
(La Différence)

Ce titre borgésien a déjà de quoi séduire. Contrairement à certains poètes batteurs d'estrade qui, habilement, tiennent le haut du pavé, Yves Mabin Chennevière avance avec discrétion, depuis plus de trente ans, dans une œuvre mêlant poésie, récit, roman et nouvelles, sur un chemin d'exigence et de conquête de soi. L'homme a connu des épreuves difficiles, auxquelles il a toujours fait face avec une exemplaire dignité. Le haut fonctionnaire œuvre depuis des lustres à la promotion et à la diffusion de la littérature française dans le monde. Le poète, lui, travaille en secret, mais toujours avec un projet d'écriture. Il a reçu le prix Max Jacob en 1996 pour *Méditation métèque.*
Ce neuvième recueil, nous dit-il, est le second moment d'un seul poème dont *L'Invention du Silence* (son précédent recueil) était le premier, dont *La Fureur de l'ange* (à venir) sera le dernier.
Le présent ouvrage apparaît comme un long procès-verbal ou, si l'on préfère, un état des lieux de l'homme avec ses mouvements du cœur, de l'âme et de l'esprit.
On pourrait aussi parler d'*inventaire sensible.* Le lyrisme est tenu en respect ; la composition est rigoureuse et sans faille : à chaque poème composé de deux quatrains répond un distique nous permettant d'enchaîner avec les deux quatrains qui suivent... ainsi jusqu'à la fin. Pour que le lecteur puisse avoir une représentation de l'ensemble, voici les deux premiers quatrains, le premier distique, puis les deux derniers quatrains et le distique qui clôt l'ouvrage.

Le maître imposé des troubles
manifestes
légifère insolent sans risques
adversaires,
inscrit sur l'éventail des preuves
inventaires
la trace évidente de sa trahison
douce,

dissémine aux marches des terres
imaginaires
les références acquises à force
de grimaces
dans les plis redoublés des
spasmes du doute
invité au triomphe des illusions
gangrènes,

interrompt les effets des heures
consacrées
à donner au vivant le besoin
de durer,
[...]

inodores, les mots exposent
leur confusion,
asthéniques les rêves mortifient
les images,
les gestes ordonnés ne libèrent
plus les corps,
endorment à l'infini les révoltes
inféondes,

inutiles les cris ne blessent plus
le ciel,
les planètes ont la saveur
des eaux corrompues,
les refus l'effet d'un sourire
maladroit,
les larmes la force d'un enfant
humilié,

imperceptible au toucher
des doigts traducteurs
le message du deuil justifie
l'espérance.

On comprendra mieux,
après avoir lu ces quatre extraits,
la vision de ce poète
du déchirement, de la passion
et du tragique, qui finit toujours
par se transcender en élan
de courage.

J.O.

Jean-Claude Martin

Ciels de miel et d'ortie
(Tarabuste éditeur)

Variations sur des ciels
changeants. Entreprise
périlleuse : rien ne se prête
mieux au cliché. Mais
Jean-Claude Martin a l'habitude
des chemins de traverse
et ses poèmes en prose, toujours
en lisière du prosaïsme,
nous surprennent souvent par
ce qu'ils dénichent l'air de rien,
levant des oiseaux dans
des fourrés que l'on croyait
cent fois visités. La poésie y est
fragile et fugitive, à peine
croit-on la saisir, veut-on
souligner une phrase sensible,
qu'on se demande déjà ce qui
s'y est joué à la lecture. Un peu
d'intime partagé, sans doute,
un petit vertige, une note bleue,
quelque chose qui nous tient
à la vie plus sûrement qu'on
ne l'imaginait.
Dans ses ciels il y a des états
d'âme, beaucoup ; mais toujours
esquissés avec humour, malice
ou ironie. Des paysages

intérieurs et des orages. Des avions aussi, destins d'homme réduits à ce petit point brillant dans le jour finissant. Déréliction, comme souvent chez Jean-Claude Martin. Mais sa poésie n'est pas désenchantée, non. Elle parle d'infimes déséquilibres dans la lumière du jour, ou d'équilibres précaires, difficilement conservés. Ainsi dans ce « petit soir de printemps, frêle et frileux, à prendre entre les bras pour le réchauffer de sensations, de souvenirs » : « Demain est loin, demain n'est pas. Un chat passe en équilibre sur la frontière (mur du voisin). Je mets au point la dernière phrase pour avoir l'illusion d'aller plus vite que la nuit... »

M.B.

Alain Veinstein

Tout se passe comme si
(Mercure de France).

Lire Veinstein, c'est faire place à son propre silence, échouer à sourire faute de pouvoir desserrer les dents, faire corps avec une absence prévisible. Ce n'est pas tirer au clair le génocide – le mot n'apparaît pas dans ces 230 pages qu'il hante pourtant. C'est joindre tout au plus, dans le secret de la lecture, les lèvres d'une plaie que découpent les ombres de la composition. Cette dernière compte sept parties, dont 80 pages pour la plus nourrie, « Sinon la nuit », qui occupe le cœur de l'ouvrage. Le poème de Veinstein tient parfois du fragment qui s'éclaire de ses voisins ; d'autres fois l'autonomie l'emporte. Quelque rare que soit l'image, la marge souvent généreuse, la voix nue impose son monde. On pense parfois à du Venaille, en plus sourd, plus étouffé encore, à du Venaille à la langue arrachée. Car la plainte, où qu'elle se ravive en se perdant à la recherche de son objet, n'est jamais que le cri tuméfié de l'orphelin. Veinstein, par-delà certains mots qu'il dit ânonnés, élucide son drame en ces termes :

Quand j'y arrive, j'écris toujours sous le regard croisé un jour dans une histoire inhumaine – ce regard tourné vers la survivance.

Outre la première personne, omniprésente malgré le titre qui impose en la ruinant la fabrique (à la Ponge), la construction générale de ce poème à sept branches est ontologique. La langue ici est au service de l'être ; la réciproque n'est qu'accessoire. La fonction de l'écriture veinsteinienne est, non thérapeutique, mais par défaut homéopathique. Il s'agit pour lui de contenir la peur, l'effroi, l'effarement, la terreur, de contredire la honte, de se disculper obscurément de l'enfant perdu, celui qu'on a engendré et celui qu'on fut, et du mensonge inhérent à l'existence. C'est donc une poésie de la conscience. Le malaise est aggravé par le fait que la matrice du drame se dérobe. C'est *comme si* elle ne pouvait être atteinte sous peine de mort. L'attention en conséquence est presque exagérément portée à son approche, aux tentatives dont l'avortement quelquefois soulage. Le silence en tout cas prend dans ces conditions tout son sens ; il est le cordon ombilical qui relie le drame au présent. Veinstein peut à bon droit rapprocher ses paroles d'une « toux malade ». L'effort de sa quête est terrible car elle aboutit à une découverte dont nul ne se relève :

C'est le commencement –
et la lumière, au creux de ma paume,
n'est que de la chaux morte.

L'écriture dès lors, si elle met l'horreur à jour, reste impuissante à la dissiper. On ne peut pas faire qu'on ne se souvienne ; on ne peut pas intimement mentir contre l'Histoire. Écrire rejoint le travail du fossoyeur.

Est-ce la terre que j'écris
pour tout recouvrir –
si ce sont là les mots...

On ne peut pas lire Veinstein impunément. Il n'accuse pas ; son écriture est une plaie vivante. Il y a là un univers où des mots pareils à des enfants perdus semblent dévisager la croix de Lorraine. Nul ne pourra jamais faire que cela n'existe pas.

P.P.

Jacques Réda

Hors les murs
(Poésie/Gallimard)

On sait que pour Réda « le bitume est exquis », tout comme « l'herbe des talus », qu'il a célébrée aussi bien que la « beauté suburbaine ». Aidé du seul « sens de la marche » (et à l'occasion du solex, ou de la ligne d'autobus 323), le voici franchissant les portes de Paris, « hors les murs », pour un vagabondage somme toute assez méthodique dans l'entrelacs des petites rues de banlieues pavillonnaires, aux confluents des rus, des rivières et de la Seine. Territoires un peu *perdus* : leurs noms chantent mais on les a oubliés dans l'éloignement – du temps et de l'espace. Car c'est aussi sa mémoire que Réda balade avec lui et ces poèmes écrits en 1980, publiés en 1982 et aujourd'hui réédités dans la collection Poésie/Gallimard (après *Amen*, *Récitatif* et *La Tourne*) nous font entendre le temps insidieux, celui qui met en marge, exile doucement en lisière de la vie, lentement métamorphose une vallée en ZAC, un village en cité dortoir, un ru en égout. Ce qui reste d'agreste se survit entre le béton, les autoroutes, les jardinets tristes et le bord des voies de chemin de fer. Certes un peu d'humanité suinte encore dans les bistrots plus ou moins déserts, l'incongruité de deux fauteuils posés devant un cabanon de jardin, les bruits sourds du triage, les ruines

d'usines désaffectées, les bords de l'Ourcq, les fleurs et les choux des potagers ; mais le charme des lieux tient surtout à la nostalgie, qui tient elle-même à l'art d'accompagner les images justes d'une musique qui les fasse résonner dans le temps, et le cœur. Or Réda s'y entend à merveille, grâce à son travail prosodique et sur les formes (allant jusqu'à s'imposer comme un défi des formes fixes très complexes telle la « sextine » de « Terminus »), son sens du rythme et des ruptures, des rejets, des raccourcis, des embardées et de l'anacoluthe. Ainsi la rime et le mètre et le fameux « vers mâché » l'aident-ils à trouver une ligne mélodique et des chemins de traverse dans ces confins. Là où quelque chose semble se déliter ou se dissoudre, des paysages intérieurs comme des ciels évoquant d'autres couchants révolus. Reste une musique à la fois souriante et un peu triste, surtout dans le dernier poème que domine le sentiment de la menace : sur l'espace traqué et refoulé en herbe résiduelle, cette herbe « profonde comme la mémoire quand elle n'est plus celle de personne ».

M.B.

Georges-Emmanuel Clancier

Contre-*Chants*
(Gallimard)

Le dernier recueil de Georges-Emmanuel Clancier emprunte son titre au lexique de la musique. Il semble, de ce fait, mettre l'accent sur le lyrisme d'une composition qui joue sur les registres de la voix. Le poète unit harmonieusement ici plusieurs de celles qui sont en lui, combine les thèmes, enchaîne des accords de mots qui le justifient. Ceci apparaît avec d'autant plus de netteté dans la partie portant le titre générique que le poète y entrecroise subtilement

les poèmes et les passages
en italiques avec ceux
en caractères droits.
Les premiers traduisent l'élan
vers la beauté. Ils proposent un
traitement esthétique du thème
tandis que la réalité, dans
ses aspects choquants, voire
révoltants, envahit les seconds.
Le contraste s'établit entre
le « Bel été » et le flamboiement
des Oradours. On le comprend
à travers l'itinéraire de cet
« Ulysse automnal » : si le poète
ne peut se passer de poésie,
s'il cède à la permanente
sollicitation du chant
qui embellit l'ordre des choses,
il n'en reste pas moins homme
enraciné dans son temps
et sensible à ses séismes.
Ce battement fait le prix de
ce livre qui débute par
une référence à la déjà lointaine
enfance, riche de tous
les possibles d'un « monde
double à conquérir à vénérer ».
Clancier conserve intacts
l'éblouissement de la vie,
une innocence active. Il cherche
« au bord ancien des langages »,
à travers les années « ces regards
qui (le) fondent » ou encore
la « Trouée d'aube à travers
l'épaisseur des lointains comme
des siècles enchaînés ». Il chante
une époque « qu'il eût voulu
sans faille enchanter ». C'est
cependant sans amertume qu'il
constate : « Notre jeunesse en
ce temps/n'eut que défaite
autour d'elle ». Le personnage
mythique d'Ulysse, dans son
périple secoué par le destin,
devient alors emblématique
de la vie d'une génération qui
a presque traversé le siècle sans
avoir prise sur lui. « Ulysses
égarés/(en quel rêve ?)//
gauchement/nous aurons/
dérivé », écrit Georges-
Emmanuel Clancier.
Ces contre-*chants* sont aussi
des contre-poids, des contre-
mots qui dressent la confiance
de leurs fulgurantes énigmes
dans l'espoir de « quelque ivresse
ultime ». S'opposent
et se conjuguent dans ces vers
« l'ange doré » et « l'ange
sombre ». D'où, peut-être,
au milieu du recueil, ce moment
de méditation cosmique qui
porte le poète aux origines
de l'univers, « au cœur
de cette graine/où
germait/l'espace », et
dans l'immensité où règne
la « géométrie ludique/
des espaces/et de leur
transparence ». Le passé tire
pourtant le poète vers
ses évidences souvent tragiques.
Les images qu'il renvoie
à la conscience appellent
cette apostrophe pathétique
qui interroge toute une vie :
« Ô lumière n'étions-nous
au sortir des ténèbres/qu'une
cohorte de naïfs hallucinés ? »

J.-M.T.

Jean-Max Tixier

Chasseur de mémoire
(le cherche midi éditeur)

Ce recueil de poèmes est le onzième que publie Jean-Max Tixier. Certains d'entre eux lui ont valu le prix Louis Guillaume et le prix Antonin Artaud. Poète exigeant et qui pèse ses mots, Jean-Max Tixier privilégie l'écriture elliptique et dense, mais sans jamais tomber dans le piège de l'abstraction ou de l'ésotérisme. La nature même de ce poète contribue à l'ancrer dans le réel de la matière, le minéral, le végétal.
Cet ensemble de courts poèmes en prose constitue un chant orphique général, où les éléments naturels se transmuent en mémoire cosmique. Face au monde, le poète se remet en question dans « le silence des dieux » et la « nudité de la nuit ».
On aimera l'onirisme solaire de cette poésie écrite par un homme de la Méditerranée.
Jean-Max Tixier participe, depuis des années, aux aventures et aux avatars de ce qui fut *Les cahiers du sud* avant de devenir *Sud* puis *Autre sud.*
Il est aussi l'auteur de récits et de romans dont *Le Jardin d'argile* qui a reçu le prix *Antigone* en 1998.

J.O.

Pierre-Jean Rémy

Dire perdu
(Gallimard)

Pour être de l'Académie française, Pierre-Jean Rémy n'est pas Senghor dont le tour de force fut d'avoir porté l'émotion originelle à la dimension d'une micro-épopée. Il n'y a guère que Jean-Claude Renard aujourd'hui pour soutenir tant de beauté façonnée après guerre. Les cinq poèmes rassemblés dans *Le Temps de la transmutation*, au Mercure de France, forment un recueil qui vaut un bréviaire. Le titre à lui seul incite à lever les yeux.
Qu'offre à son tour le poète Pierre-Jean Rémy, sans royaume des morts à éclairer, sans peuple à qui montrer l'exemple, quand même son double dans le civil régnerait sur des sujets de papier en butte à une révolution numérique ? À l'invention de la négritude, qui n'a pas pris encore toute sa place dans l'histoire littéraire du XXe siècle, qu'est-ce qui pourrait répondre aujourd'hui ? Après la conquête par le continent noir de son âge adulte, l'homme blanc semble voué au repli. Pierre-Jean Rémy ne le note-t-il pas lui-même : « quels pères/pourraient encore désirer ériger des stèles ? » L'âge cependant a pris le poète dans ses rets et, tandis que sans plus de kôra ni de balafong il chante à son tour, il entre peut-être en « regrétude ». Le mot sonne à

frissonner, et pour cause, quand Du Bellay a plus qu'approché le phénomène. Pierre-Jean Rémy redonne en tout cas à l'élégie une verdeur, une vigueur qui conforte son avenir. Après tout, si le solipsisme appliqué à l'univers paraît une hérésie, appliqué à l'individu il reste la vérité viable que confirme ce vers : « Chaque solitude était un univers. » Quant à la construction des volumes de poésie de Pierre-Jean Rémy, Yves Bonnefoy la louait déjà dans la préface donnée à *Retour d'Hélène*, en 1997. Et *Dire perdu* se partage en douze séquences qui, allant de quelques « renoncements » jusqu'à des « recommencements », manifestent assez le sens de la démarche.
Si donc il faut à un livre fort une architecture (la fameuse cathédrale de Proust) et une nécessité telle que l'inspiration lui donne vie et le nourrisse entre les lignes, le présent volume ressortit à cette catégorie. « Je me croyais l'arpenteur de plages infinies/que les marées du temps balaieraient sans répit. » Un autre poème évoque un « mur qu'on bâtit à la hâte », et on se prend sans retour à ce dernier paradoxe :

demain sera frappé d'éternité
et je n'en saurai rien !

Mais plus que la mort en vue, sans illusion aucune sur cet « autre empire/qui n'est que de ce monde », peut-être de ce fait justement, Pierre-Jean Rémy s'attache à une sorte d'inventaire de ses joies.
La fonction de l'écriture, qui ne doit rien aux résurrections de la mémoire involontaire chère à Proust, est celle d'un tremplin à l'intérieur de soi, pour que se retrouve ou perdure l'émerveillement de l'enfance.
Il est demandé à la poésie de « réveiller/tout ce que les vanités de l'âge ont endormi/goûter à nouveau la joie de désirer au-delà du désir. » Il lui est demandé de conjoindre l'amour de la vie et la vie de l'amour. Éluard n'est pas loin, surtout lorsque Pierre-Jean Rémy, dans l'avant-dernière partie, s'approche du silence qui, écrit-il, « n'est plus que la lumière éteinte au creux du verbe absent ». Ce vers d'autant plus personnel qu'il accède à l'universel témoigne à lui seul de la légèreté du palimpseste. Il n'est pas d'art sans culture, et l'ignorance tue l'artiste dans l'œuf. Qu'en conséquence ici et là se devine un écho d'Apollinaire à l'évocation d'un « jeune mort en habit de gala un peu froissé/peut-être et les yeux perdus vers celle qui ne le voyait pas », ou de Verlaine avec ceux-là qui se sont tus, d'Aragon retraversé de la sorte : « C'était un temps de démesure on a pris la mesure/d'une chapelle au

fond d'un pré », c'est un bonheur de surcroît. Car celui-ci confirme que, malgré « tout ce vide accumulé par l'âge », la poésie échappe à l'insignifiant, l'esprit lui conserve toute la place ; l'art enfin reste notre seul recours en face de la mort. « Des charretées d'adieux nous servent de cercueils. »
Ce ne sont là que quelques aperçus de ce riche recueil de 230 pages. Qui en effet, de « Narcisse abhorré » ou de « celui qui défie l'univers », est Pierre-Jean Rémy par-delà ses cinquante ouvrages publiés à ce jour ? Ses « jeux plus qu'hasardeux d'hasardeux lendemains » sont assurément indispensables et le voisin de Senghor à l'Académie est aussi un grand poète.

P.P.

Lorand Gaspar

Patmos et autres poèmes
(Gallimard)

Patmos, comme un phare de pierre au large de l'imaginaire, évoque la parole égéenne, lieu où les mythes enflammèrent la langue. C'est aussi une référence essentielle pour Lorand Gaspar que la découverte des îles grecques convertit à une certaine lumière, un certain regard dont il ne se départit de l'usage. Ses autres lieux de prédilection – Tunisie, Judée, Sahara –, tous ancrés au Sud, en sont des composantes ou des variations. Ils délimitent le creuset où il puise, celui d'une culture immémoriale et toujours activement présente, comme hors du temps. Nul, mieux que lui, ne satisfait à « cette part nomade de l'âme ». Or, « l'âme vérifie le désert ». De livre en livre, il en a tiré grâce et sérénité. Le poème, chez lui, ne se déprend jamais de la réalité des choses.
Il s'articule au concret, au tangible, dans quoi baigne la vie. Son approche de la parole est d'abord approche du regard. Le souci de s'ajuster scientifiquement et musicalement à l'ordre des choses permet seul d'entrer en résonance avec leurs vibrations et d'en restituer verbalement la faveur. « Idée que je peux/entendre et toucher », écrit-il. Aussi le poème n'est-il jamais livré que dans un de ses états, fruit d'une conjonction aléatoire et provisoire.
Il ne s'agit pas ici d'un simple problème de variantes mais d'une poétique fondée sur la dialectique du transitoire et de l'intangible. Sans doute ce poète de formation scientifique est-il plus sensible qu'un autre à la relativité de la perception, au sens de l'évolution, à la loi de la transformation universelle. « Et tout ce que ta parole avait

pouvoir/de lier se délite, se fragmente, se sépare ». De là cette fusion singulière et effervescente du classicisme et de la modernité qui le place au premier plan. Je l'ai dit souvent, je ne pense pas qu'une écriture vraiment contemporaine – et quoi qu'on en dise – puisse faire aujourd'hui l'impasse sur les sciences. Le champ de la poésie ne cesse d'être labouré, retourné. Le texte, promis à remaniements, fait fonction de matrice. Lorand Gaspar n'en finit pas d'interroger ses mots, d'aller au-delà de ce qu'ils dirent à un moment pour toucher au plus profond, pénétrer dans ses fibres les plus intimes la structure de la langue, la trame des choses, le mystère verbal qui, à l'instar d'un tissu organique, pose ses interrogations dans le lacis noir du texte, du poème. « Ma page est claire et les mots sont obscurs », dit-il. L'œuvre de Lorand Gaspar, sensible à la beauté du monde – particulièrement dans *Amandiers*, *La Maison près de la mer* – semble avoir évolué vers une plus grande simplicité apparente, préparé dès longtemps par l'attention portée à l'élémentaire, une acceptation lucide au cœur même de la jouissance esthétique : « nous reste à présent l'humble labeur d'épeler/ce qui de plus simple s'échange dans nos vie ». Mais cela ne va pas sans blessure. Et Lorand Gaspar me paraît atteindre, par ses propres voies, à la « sérénité crispée » de René Char quand, après avoir évoqué en plénitude « Le toucher rond d'un geste maternel » – celui de la terre –, il a ce mouvement de doute en partage aux plus grands : « Comme si le souffle ouvrant le poème/Pouvait dans la douleur tenir le cap/De notre certitude dispersée. »

J.-M.T.

Henry J.-M. Levet

Cartes Postales et autres textes (Édition de Bernard Delvaille – Poésie/Gallimard)

Tous les vrais amateurs de poésie, tous les poètes-voyageurs connaissent Henry Jean-Marie Levet et, en particulier, le premier sonnet des *Cartes Postales* intitulé « Outwards », dont les deux premiers vers sont comme une formule de reconnaissance, un mot de passe pour initiés :

L'Armand-Béhic
(des Messageries Maritimes)
File quatorze nœuds sur l'Océan
Indien...

Rares sont les poètes qui s'imposent à leurs contemporains avec une œuvre aussi mince. Mais Henry J.-M. Levet eut la chance d'être

« découvert » par Valery Larbaud et Léon-Paul Fargue, ce qui n'était pas rien. Ce poète, devenu mythique, et dont les *Cartes Postales*, selon Bernard Delvaille, « ne peuvent être comparées qu'aux *Chimères* de Nerval », naquit à Montbrison, dans la Loire, en janvier 1874, pour nous quitter, 32 ans plus tard, en décembre 1906, à Menton, où il était en congé de maladie, une maladie pulmonaire qui allait l'emporter en quelques semaines. Durant cette brève existence, Henry J.-M. Levet voyagea beaucoup et loin, à titre professionnel puisqu'il fut chargé de mission en Indochine, dès novembre 1897, avant d'être nommé vice-consul à Manille (Philippines) le 10 novembre 1902. En 1906, le voilà titulaire de la chancellerie de Las Palmas aux Canaries. Ce sera son dernier poste. Ces séjours et ces traversées nous vaudront les fameuses *Cartes Postales*, ou « sonnets torrides » que Léon-Paul Fargue fera publier en 1943 chez Gallimard, dans la collection « Métamorphoses » à 2 500 exemplaires, avec la bénédiction de Jean Paulhan. La présente édition a le mérite de réunir le maximum d'éléments bio-bibliographiques sur Levet, sa vie, son œuvre, à commencer par la fameuse conversation entre Léon-Paul Fargue et Valery Larbaud après leur visite aux parents de Levet à Montbrison, conversation qui se déroule le 2 mars 1911 à « l'intérieur d'une limousine en marche sur la route nationale, entre Montbrison et Saint-Étienne ».
Au cours de cette conversation, Larbaud raconte à Fargue comment il a découvert les poèmes de Levet dans un numéro de revue qui les citait. Il s'agissait de trois des « Cartes Postales » que, le soir même, Larbaud connaissait par cœur. La légende et la ferveur ont fait le reste.

J.O.

Jean Joubert
Arche de la parole
(le cherche midi éditeur)

Une saveur nocturne émane de la poésie de Jean Joubert. Elle cherche sa voie entre les apparences trompeuses et leur doublure de mystères, animée par de fortes impressions d'enfance dont le poète conserve – et cultive – la faculté de passer à travers les miroirs, de donner au songe consistance de preuve. On pourrait souligner à ce propos la permanence d'une vertu d'innocence qui lui permet d'établir des rapprochements générateurs de fantastique et de merveilleux. Ce n'est pas sans raison que Jean Joubert, depuis des années, poursuit une œuvre destinée à la jeunesse. Au-delà de cet aspect, et dans de plus profondes strates, Jean Joubert réactualise un certain romantisme en parlant d'un pays de légende où les dieux sont présents, et les mythes. Non pas ceux qui empruntent à la Grèce leurs lumineux mystères, mais qui sourdent des régions vouées aux pluies et aux brumes, à l'épaisseur des forêts, à l'ambiguïté permanente des êtres et des choses. L'imagination y signe l'usage d'une liberté enténébrée. Pays imaginaire que le sien mais habitable où bêtes et gens, l'ogre et le loup recomposent, non sans délices, la mémoire d'anciennes terreurs : « À la croisée des songes/ se rencontrent/l'ogre éternel/ et l'immangeable enfant/d'être vêtu/de sa lumière d'innocence. » Le poète écoute « les voix menues de l'invisible ». Tout se joue entre ombre et lumière, idéal et bestialité, là où les perceptions s'inversent, où le fantastique devient tangible. Du rêve à la légende se tissent des récits poétiques. Car il est du ressort de cette poésie de *confondre* les règnes – dans les deux sens du terme. De sorte que, sans préjudice des bonheurs de langue, la communication poétique résulte d'abord des évocations, du pouvoir suggestif de l'ensemble. Sans doute cet aspect assure-t-il la cohérence. Jean Joubert s'abreuve à « la source noire », réservoir des possibles. On ressent cette tonalité sourde dans de nombreux textes. Les paroles sont les « proies futures du pêcheur d'ombre ». Jean Joubert dit l'usure, la présence latente de la mort, « l'unique éclat d'une fleur en exil », d'une voix douce, en demi-ton, faite pour la pénombre, le clair-obscur, le crépuscule. « À respirer le noir,/à respirer/de nos poumons étroits la poussière des morts,/nous viennent de terribles songes », observe-t-il. Et il interroge ce qu'il en peut surgir de fugace et d'essentiel : « quelques visages demeurent/comme reflets sur l'eau/de ceux qui vers nous jadis/se penchèrent,/pour nous parler, pour chercher dans nos yeux/un accord, une promesse ». Ou encore cette lancinante attente marquée d'une secrète angoisse : « Belles mortes qui voyagez/par les chemins profonds,/parlez-nous,/dites-nous ce qui là-haut demeure :/mémoire ? amour ? lumière ? »

J.-M.T.

La revue des revues

Rimbaud Revue

n° 25 – juin 2001
Samuel Bréjar, BP 49 –
22130 Plancoët

La rédaction nous annonce que la revue redevient semestrielle et se sépare de sa sœur jumelle en espagnol, « Neruda Internacional ». Elle s'attachera désormais à la littérature et à la poésie françaises et francophones. Cette livraison s'ouvre sur un texte remarquable de René Ménard, « l'expérience poétique ». René Ménard, pour les connaisseurs, est l'auteur d'un essai de référence publié en 1959 chez Gallimard : *La Condition poétique* : on lira avec grand profit ces 23 pages dont j'extrais ces quelques lignes : « La plus grande leçon de l'expérience poétique me semble donc être d'apprendre à se considérer comme libre et seul devant soi-même, d'accepter à l'avance de ne réfléchir au monde que ce qu'on en peut de soi-même recevoir, et surtout de ne prétendre à rien, sinon à la conquête d'une pensée – car un poème est toujours une pensée – grâce à laquelle l'esprit éprouve comme sa réalité foncière, individuelle, indépendante de toutes les autres circonstances de la vie. » À méditer.

Autres articles à regarder : « La survie du livre », un entretien avec Ives Zimmermann, un panorama de la poésie québécoise par Roger Chamberland, un papier d'humeur très drôle de Marco Wiconeur intitulé « Un écho d'Umberto Eco ». On lira aussi « Un bon poète est un poète mort » par Gilles Pudlowski qui oublie quelquefois la gastronomie pour se souvenir qu'il aime aussi la poésie. Des poèmes inédits de Bernard Mazo et de Michel Baglin et de nombreuses notes de lecture signées Christophe Dauphin, Jehan Despert, Jean Breton, Marie-José Christien, une revue des revues par Jean Chatard.

Arapoética 2

de la poésie internationale
juin 2001
Abdul Kader El Janabi
L'esprit des Péninsules,
4, rue Trousseau, 75011 Paris

Voici une revue dont le souci de métissage des cultures mérite d'être salué. De la présence de Paul Celan à celle de Paul Chaoul (né à Beyrouth en 1944) dont la poésie est l'une des rares à prendre en compte l'expérience arabe du poème en prose, il y a tout cet espace à explorer. Cette livraison propose aussi des poèmes de Tahar Bekri, Bernard Noël, Carpelan, Marc Delouze, Amir Or, Jean Portante, Sébastien Reichmann, Miguel Suarez – Nombreux textes critiques et notes de lecture – Ensemble riche et passionnant.

La Sape

55/56 – Nouvelle série – juin 2001
Michel Méresse
16, rue Albert Mercier,
91100 Corbeil-Essonnes

Cette double livraison de plus de 200 pages propose un riche sommaire avec, en vedettes, Yves Bonnefoy, Michel Butor, Roger Munier, Bernard Noël ou quatre approches de la peinture.
Ce dossier occupe la moitié de la revue. Dans l'autre moitié, on trouvera des poèmes de Xavier Bordes, dont les vers sont ponctués d'espaces blancs, sorte de nouvelle respiration de l'écriture qui doit correspondre, j'imagine, à une scansion à la lecture. Au début cela surprend un peu, et puis on s'y habitue. Poèmes encore, de Bernard Mazo – qui occupe bien le terrain ces temps-ci.
Il a même droit à deux notes de lecture pour le même livre, l'une d'Alain Freixe, l'autre de Michel Méresse ! Allez, je te taquine, Bernard – Poèmes de Hervé Martin, d'Olivier Domerg, d'Emmanuel Damon, de Paul Guillon, de Jean-Luc Peurot, de Jean-Pierre Vidal, de Luce Guilbaud, de Cédric Demangeot et de Guy Rumèbe. Nombreuses notes de lecture signées Max Alhau, Jean-Marie Barnaud, Maurice Bourg, Alain Freixe, Antoinette Jaume, André Lagrange, Michel Méresse, Claude Micoski.

Le Coin de table

La revue de la poésie n° 7
juillet 2001
La Maison de Poésie
11 *bis*, rue Ballu, 75009 Paris

Un bon dossier sur Jules Laforgue, à propos de la publication de ses œuvres complètes aux éditions de l'Âge d'Homme, ouvre cette livraison. Jacques Charpentreau nous présente « le très curieux Jules Laforgue », illustré de plusieurs poèmes et de deux autoportraits. Pierre-Olivier Walzer évoque les difficultés et tous les avatars que connut l'édition de ces œuvres complètes, histoire mouvementée que Jean-Louis Debauve éclaire à son tour. Voici des notations et réflexions sur la poésie, de Bernard Jourdan, des poèmes de Pierre Osenat, Philippe Pichon, Daniel Lander, Bernard Lorraine, Robert Vigneau. Une remarquable étude de Frédéric Kiesel sur Rainer Maria Rilke, des poèmes de

Jean-Luc Moreau et Jean Malaplate, un texte ironique sur la mort, de Pierre de Boisdeffre, des chroniques et les précieuses « Pages de garde » qui recensent l'essentiel des ouvrages récemment parus – recueils, traductions, prose, études, revues. Bien utile.

poèmes de Denis Lejeune, Eliane Biedermann, François-Xavier Razafimahatratra et Alain Lacouchie. Une interview de Jean-Michel Bongiraud complète l'ensemble, avec des notes de lecture signées Lucien Wasselin, Jean-François Mathé, Marie-Paule Duquesnoy.

Friches

Cahiers de poésie verte n° 74
Trimestriel
Jean-Pierre Thuillat
Le Gravier de Glandon,
87500 Saint-Yrieix

Bravo à Jean-Pierre Thuillat pour son éditorial : « De l'intégrisme en poésie ». Il a raison de s'insurger contre « les ayatollahs du poème » et « les gardiens de l'élitisme ». Nous faisons, nous aussi, « le pari du vivant ». Le dossier consacré aux « Grandes voix contemporaines » présente cette fois Jean Pérol, dont l'œuvre, dans la force de l'âge, est une de celles qui comptent parmi les poètes de cette génération des années trente. Depuis *Sans et raisons d'une présence*, publié en 1953 chez Seghers, jusqu'à *Ruines-mères* paru au cherche midi en 1998, ce sont quatorze recueils qui constituent l'œuvre poétique de ce lyonnais qui a vécu de nombreuses années à l'étranger (Japon, États-Unis, Afghanistan). On lira aussi des

Autre Sud

juin 2001 – n° 13
Éditions Autres temps
97, avenue de la Gouffonne,
13009 Marseille

La revue marseillaise nous propose, avec cette treizième livraison, un dossier sur Charles Juliet, un de nos écrivains et poètes les plus secrets, mais dont les différents tomes du *Journal* dévoilent une véritable anatomie de l'écrivain.

« Pour atteindre au poème, écrit Juliet, le poète doit s'arracher à la confusion et s'unifier. » Telle est bien sa démarche. « L'espace méditerranéen » donne la parole à Jean-Claude Villain et Abderrahmane Djelfaoui – Dans le « Partage des voix », nous trouvons des poèmes de Lionel Ray, Dominique Sorrente, Gérard Engelbach. Un texte de Christiane Baroche complète l'ensemble. Les « voix d'ailleurs » nous donnent à lire Valeriu Stancu, poète moldave. Les autres rubriques sur le théâtre et les livres sont au rendez-vous. J'ai noté de pertinentes réflexions de Daniel Leuwers sur « les modernes, les postmodernes et les autres », un souvenir d'Henri Pichette signé Frédéric-Jacques Temple, et des notes de lecture signées Jacques Lovichi sur Samuel Bréjar dont j'avais parlé ici, Jean-Max Tixier, Michel Baglin, Armand Olivennes. Bref, une livraison riche et variée.

À l'index n° 4

Jean-Claude Tardif
11, rue du Stade, 76133 Épouville

Voici une toute jeune publication sous la responsabilité de Jean-Claude Tardif, poète pour qui j'ai la plus grande estime. En tant qu'animateur de revue, il fait preuve d'une curiosité et d'un éclectisme de bon aloi. La livraison s'ouvre sur un texte de l'ami Jean-Claude Pirotte, histoire de se mettre en appétit... ou en bouche ! Suivent des poèmes de Guy Lavigerie, de Werner Lambersy, (un poète qui compte) de Jacqueline Courcoulas, de beaux poèmes en prose de Dominique Quelen, des inédits de Claude Albarède, une étude de Luis Porquet sur Henri Pichette (décidément à l'honneur ces temps-ci). De nombreuses notes de lecture signées Jean Chatard complètent le numéro, avec une revue des revues, signée Jean-Claude Tardif et Michel Héroult. Enfin, on lira, dans un « recueil intégré », un ensemble de poèmes de l'écrivain vietnamien Ngo Tu Lap, qui publie pour la première fois en France. Né en 1962, ce poète s'exprime dans une écriture d'un lyrisme sobre et imagé qui me paraît très convaincant. Pour la petite histoire, ce poète, avant de se consacrer à l'écriture, était capitaine de la marine de guerre du Vietnam.

J.O.

Le Grand Prix de poésie de l'Académie française a été décerné à Guy Goffette pour l'ensemble de son œuvre, à l'occasion de la parution de *Un manteau de fortune* (Gallimard).

*

Le Grand Prix de poésie de la Société des Gens de Lettres a été attribué à Lionel Ray pour l'ensemble de son œuvre, à l'occasion de la parution de *Pages d'ombre et autres poèmes* (Gallimard).

*

Le prix Charles Vildrac de la Société des Gens de Lettres a été attribué à Ludovic Janvier pour son recueil *Doucement avec l'ange* (L'Arbalète/Gallimard).

*

En juin 2001 a été lancé le prix des Cinq continents de la Francophonie sous la présidence de Vénus Khoury-Ghata et de Roger Dehaybe, administrateur général de l'agence intergouvernementale de la Francophonie. Ce prix est organisé avec le concours de l'association du Prix du jeune écrivain francophone. Il est doté d'une bourse d'écriture de 120 000 F.

*

Le prix de poésie Tristan Tzara est allé cette année à Claudine Bertrand, l'une des poètes les plus actives et les plus reconnues du Québec. Elle enseigne la littérature à Montréal et dirige depuis 20 ans la revue *Arcade* qui se consacre à l'écriture au féminin.

*

Organisée par la Maison Internationale de la poésie, la 22e biennale internationale de poésie se tiendra du 27 au 30 septembre prochain à Liège, sous la présidence de Marek Halter. Le thème en est : *Tambours de la paix*, Poésie et Droit de vivre, Poésie et devoir d'être.

*

Le 19e marché de la poésie s'est tenu Place Saint-Sulpice, à Paris, du 21 au 24 juin. Il a rassemblé, comme à l'habitude, un grand nombre d'éditeurs et de revues de poésie, et connu un succès d'affluence toujours grandissant.

*

Le prix Georges Perros de poésie 2001 sera annoncé au mois de novembre et remis lors des Rencontres poétiques internationales de Bretagne à Saint-Malo. Doté de 10 000 F, ce prix est attribué à un poète pour un recueil édité dans l'année. Adresser 9 exemplaires du recueil, à la Maison internationale des poètes et des écrivains, 5 rue du Pélicot, 35400 Saint-Malo.

*

Le prix Goffin 2000, doté de 100 000 francs belges, a été attribué à Christian Hubin.

*

En clôture des 50e journées de poésie de Rodez, le prix Antonin Artaud est allé à Joël Bastard pour son recueil *Beule* (Gallimard) et le prix Ilarie Voronca à Marina Braester pour son manuscrit *Oublier en avant* qui sera publié aux Éditions Jacques Brémond.

*

Les Rencontres Poétiques Internationales de Bretagne

Les Rencontres Poétiques Internationales de Bretagne ont pris la suite des rencontres poétiques du Mont-Saint-Michel et se sont déplacées dans la ville de Saint-Malo, et à partir de cette ville dans toute la Bretagne.

Elles ont lieu tous les ans à l'automne, rassemblent une centaine de poètes de différents pays et permettent à des personnes de même sensibilité de se rencontrer. Des livres, des revues, des pièces de théâtre, des voyages, des amitiés sont les résultats de ces manifestations. Elles offrent aussi aux invités venus d'ailleurs un pays magnifique qui a su garder son authenticité et son originalité à travers ses paysages, ses créateurs, et ses traditions.
Pendant ces journées, trois prix de poésie sont décernés et toutes les manifestations sont ouvertes au public :

le grand prix international de poésie de Saint-Malo décerné à un auteur pour l'ensemble de son œuvre;
le prix Imram qui couronne l'ensemble d'une œuvre poétique en langue bretonne;
le prix Georges Perros décerné à un poète pour un recueil paru dans l'année, sur concours.

Association loi 1901
Siège social : Beauregard – 35350 La Gouesnière
Secrétariat : Maison Internationale des Poètes et des Écrivains.
5, rue du Pélicot – 35400 Saint-Malo
Tél.: 02 99 40 28 77

*

La Maison de Poésie

Manifestations littéraires 2001-2002

La Maison de Poésie est une Fondation reconnue d'utilité publique depuis 1929. C'est le seul organisme agissant en faveur des poètes et de la poésie à bénéficier du statut de Fondation.
Elle organise régulièrement diverses manifestations gratuitement ouvertes au public, en ses locaux ou à l'extérieur, conférences, causeries, auditions, *Parloir des Poètes, Journal parlé* suivant au plus près l'actualité de la poésie, etc.
Sa revue trimestrielle *Le Coin de table* publie des poèmes inédits, des études, des articles consacrés à la poésie, et elle signale parmi les publications poétiques récentes celles qu'elle estime pouvoir recommander.
La Maison de Poésie décerne divers prix. Elle organise, avec le ministère de la Jeunesse et des Sports, le prix Poésie Jeunesse et le prix Arthur Rimbaud réservé à un poète de 18 à 25 ans (de trente mille francs chaque).
Elle édite une collection de recueils de poèmes.
La Maison de Poésie ne se réclame d'aucune esthétique particulière. Son statut assure son indépendance totale.

Principales matinées poétiques 2001-2002
à 17 heures :
– Mercredi 10 octobre 2001 : *Le Parloir des Poètes.*
– Mercredi 14 novembre 2001 : Le Couëdic, *Verlaine-Barrès.*
– Mercredi 12 décembre 2001 : *Journal parlé. L'actualité de la poésie.*

2002 :
– Mercredi 16 janvier 2002 : Jean Malaplate et Jean-Luc Moreau, *Philippe Chabaneix.*
– Mercredi 6 février 2002 : Les administrateurs de la Maison de Poésie *rendent hommage à Victor Hugo* (bicentenaire de sa naissance).
– Mercredi 6 mars 2002 : *Journal parlé. L'actualité de la poésie.*
– Mercredi 10 avril 2002 : *Journal parlé. L'actualité de la poésie.*
– Mercredi 15 mai 2002 : *Le Parloir des poètes. Remise du Grand Prix.*
– Mercredi 5 juin 2002 : Le *Parloir des poètes. Remise du Grand Prix.*
– Mercredi 2 octobre 2002 : *Le Parloir des poètes.*
– Mercredi 13 novembre 2002 : *Journal parlé. L'actualité de la poésie.*
– Mercredi 11 décembre 2002 : *Journal parlé. L'actualité de la poésie.*

La Maison de Poésie se réserve la possibilité de modifier les dates et sujets de ses matinées littéraires.
Entrée libre dans la mesure des places disponibles.
11 *bis*, rue Ballu, 75009 Paris – Tél. : 01 40 23 45 99.

*

Poésie Vive. Martin Laquet
Saison 2001-2002

– 12 octobre : Thierry Renard.
– 16 novembre : Loïc Lantoine et François Pierron
– 7 décembre : Jacques Prévert, l'acrobate ingénu.
– 14 janvier : Maryse Dru.
– 22 mars : Gabriel Le Gal.
– 26 avril : Patrick Dubost.

À 19 heures à la Médiathèque
« La Grenette » – 01500 Ambérieu-en-Bugey.

Quelques propositions de lecture

Alain Jouffroy
C'est partout, ici
(Gallimard)

Claude Esteban
Morceaux de ciel, presque rien
(Gallimard)

Abdul Kader El Janabi
Le verbe dévoilé
Anthologie de la poésie arabe au féminin
(Éditions Paris Méditerranée
(87, rue de Turenne,
75003 Paris)

Du même auteur chez le même éditeur :
Le Spleen du désert
Anthologie de poèmes arabes en prose

Jean-Pierre Milovanoff
Noir devant
(Seghers)

Gérard Haller
Météoriques
(Seghers)

Benoît Conort
Cette vie est la nôtre
(Champ Vallon)

Bruno Berchoud
Comme on coupe un silence
(Le Dé bleu)

Jeanine Baude
Île corps océan
(L'arbre à paroles)

Isabelle Pinçon
Ut
(Le Dé bleu)

Gilles Lades
Anthologie des poètes du Quercy
(Éditions du Laquet, Rue Droite près l'Église, 46600 Martel)

Évelyne Morin
Dernier train avant le jour
(Le Dé bleu)

Thierry Martin-Scherrer
Poème élémentaire des bords de la nuit
(Éditions Comp'Act)

INDEX DES POÈTES

Poésie 1

Vagabondages

le magazine de la poésie

Revue trimestrielle publiée par le cherche midi éditeur
23, rue du Cherche-Midi, 75006 Paris
Téléphone : 01 42 22 71 20 – Télécopie : 01 45 44 08 38

Diffusion de presse
Distri Médias, 2, impasse Boudeville, 31100 Toulouse Cedex – Tél. : 05 61 43 49 59
ISSN – Commission paritaire n° 76694 – ISBN 2.86274.897-8

Directeur de la publication
Jean Orizet

Composé en mis en pages par DV Arts Graphiques à Nogent-Le-Phaye
Achevé d'imprimer par l'Imprimerie Corlet à Condé-sur-Noireau
Dépôt légal : septembre 2001 – N° d'impression : 2034

Revue publiée avec le concours du Centre national du livre.

Poésie 1

Vagabondages

le magazine de la poésie

Complétez votre collection

Numéros déjà parus (28 F/4,27 €) :

- ❑ N° 1 : Demain la poésie
- ■ N° 2 : L'amour (épuisé)
- ❑ N° 3 : L'humour
- ❑ N° 4 : L'enfance, la jeunesse
- ❑ N° 5 : La nature, la campagne
- ❑ N° 6 : Le voyage, l'ailleurs
- ❑ N° 7 : Les surréalistes
- ❑ N° 8 : Les animaux et leurs poètes
- ❑ N° 9 : La ville, la banlieue
- ❑ N° 10 : Le temps et les saisons
- ❑ N° 11 : Les poètes et l'écriture
- ❑ N° 12 : La fête en poésie
- ❑ N° 13 : Les poètes et le corps
- ❑ N° 14 : Poésie au Sud
- ❑ N° 15 : Les poètes et la folie
- ❑ N° 16 : Les poètes et la spiritualité
- ❑ N° 17 : Les poètes et le cosmos
- ❑ N° 18 : Les poètes de Bretagne
- ❑ N° 19 : Le poète et le mythe
- ❑ N° 20 : Les poètes et le cinéma
- ❑ N° 21 : La nouvelle poésie française
- ❑ N° 22 : Poésie de la violence, violence de la poésie
- ❑ N° 23 : Les femmes et la poésie
- ❑ N° 24 : Jacques Brel : Poèmes
- ❑ N° 25 : Poésie et dandysme
- ❑ N° 26 : Les poètes de la Méditerranée

- Si vous souhaitez que votre abonnement commence avec un numéro déjà paru, indiquez-le au verso sur le bulletin d'abonnement.
- Si vous souhaitez un numéro déjà paru, cochez la case qui le concerne et utilisez également le bulletin au verso.

BULLETIN D'ABONNEMENT
À REMPLIR AU VERSO →

BULLETIN D'ABONNEMENT

à retourner à Poésie 1/Vagabondages,
le magazine de la poésie
service abonnements,
le cherche midi éditeur,
23, rue du Cherche-Midi, 75006 Paris.

La poésie donne des ailes à la vie.

(ÉCRIRE EN MAJUSCULES)

❑ M. ❑ Mme ❑ Mlle

Nom : ....

Prénom : ....

Adresse : ....

....

....

Code postal

Ville : ....

❑ **OUI**, je m'abonne
à Poésie 1/Vagabondages
à compter du numéro ......
pour un an (4 numéros).

❑ 110 F / 16,77 € pour la France

❑ 132 F / 20,12 € pour l'étranger

❑ **OUI**, je commande, au prix de 28 F/4,27 € le n°, le(s) numéro(s) coché(s) ci-dessous :

❑ 1 ■ 2 ❑ 3 ❑ 4 ❑ 5 ❑ 6 ❑ 7 ❑ 8 ❑ 9
❑ 10 ❑ 11 ❑ 12 ❑ 13 ❑ 14 ❑ 15 ❑ 16
❑ 17 ❑ 18 ❑ 19 ❑ 20 ❑ 21 ❑ 22 ❑ 23
❑ 24 ❑ 25 ❑ 26

pour un montant de .... F,
plus 11,50 F/1,75 € forfaitaires pour frais d'expédition, soit un total de .... F.

Je joins mon règlement par :
❑ chèque bancaire
à l'ordre de *Poésie 1/Vagabondages.*

Date :

Signature :